In the Footsteps of Columbus
Jews in America, 1654-1880

In the Footsteps of Columbus

Jews in America, 1654-1880

Beth Hatefutsoth, The Nahum Goldmann Museum of the Jewish Diaspora
Tel Aviv, Winter 1986/87

We wish to thank all those
who have given us their kind permission
to use material in their possession:

The Albert Einstein Medical Center, Philadelphia
Albuquerque Museum
American Jewish Archives, Cincinnati
American Jewish Historical Society, Waltham, Massachusetts
Arizona Historical Society, Tuscon
Arizona Historical Foundation, Hayden Library, Arizona State University
Bancroft Library, University of California, Berkeley
Bettman Archives, New York City
Bisbee Mining and Historical Museum, Bisbee, Arizona
B'nai B'rith Museum, Washington, D.C.
Buffalo and Erie County Historical Society
California State Library, Sacramento
The Central Synagogue, New York City
Cincinnati Historical Society
Cincinnati Public Library
The Civil War Museum, Philadelphia
Colorado State Museum, Denver
Concordia Argonaut Archives, San Francisco/Bernice Scharlach
Congregation Beth Elohim, Charleston, South Carolina
Congregation B'nai Israel, Little Rock, Arkansas
Congregation Mickve Israel, Savannah, Georgia
Congregation Mikveh Israel, Philadelphia, Pennsylvania
Congregation Shearith Israel, New York City. The Spanish and Portuguese Synagogue
Crown Zellerbach Corporation, San Francisco
Culver Pictures, New York City
Denver Public Library, Western History Department
Detroit Institute of Fine Arts
Gibbes Art Gallery, Charleston, South Carolina
Historical Society of Delaware, Wilmington
Historical Society of Pennsylvania, Philadelphia
Henry E. Huntington Library, San Marino, California
The Jewish Federation Archives of Nashville, Tennessee
Jewish Federation Council, Los Angeles
Jewish Historical Society of Oregon, Portland
The Jewish Museum, New York City
The Jewish National and University Library, Jerusalem
The Jewish Theological Seminary, New York City
Levi Strauss & Co., San Francisco
Library Company of Philadelphia
Library of Congress, Washington, D.C.
Los Angeles Public Library/Security Pacific National Bank Photograph Collection
Minnesota Historical Society
Montana Historical Society, Helena
Museum of American Folk Art, New York City, courtesy of Anne Williams and Susan Kelly.
Museum of Modern Art, New York
The National Archives, Washington, D.C.
National Museum of American Jewish History, Philadelphia
Nebraska State Historical Society, Lincoln
Nevada Historical Society
Newport Historical Society
New-York Historical Society, New York City
New York Public Library
Ohio Historical Society, Columbus
Oregon Historical Society, Portland
Pacific Center for Western Historical Studies, University of the Pacific, Stockton, California
Peabody Museum, Salem, Massachusetts
Pennsylvania Academy of the Fine Arts, Philadelphia
Pioneer Museum, Colorado Springs
Rocky Mountain Jewish Historical Society, Beck Archives, Center for Judaic Studies, University of Denver
San Mateo County Historical Museum, California
The Schlesinger Library, Radcliffe College, Cambridge, Massachusetts
The Smithsonian Institute, Washington, D.C.
South Carolina State Archives, Columbia
Special Collection, The University of New Mexico, Albuquerque
The Standard Club, Chicago
Sutro Library, San Francisco
Temple Emanu-El, New York City
Terra Sancta Ltd., Tel Aviv
The University of Washington, Jewish Archives Project, Suzzalo Library, Seattle
Utah Historical Society, Salt Lake City
Wells Fargo Bank, San Francisco
Western Jewish History Center, Judah L. Magnes Museum, Berkeley
Yale University, Beinecke Rare Book and Manuscript Library, New Haven, Connecticut

Elsa Freudenthal Altshool, Las Cruces, New Mexico
Janice Rothschild Blumberg, Washington, D.C.
Carmen Freudenthal, Las Cruces, New Mexico
Rosalie Gomez Nathan Hendricks
Rabbi Abraham Karp, Rochester, New York
B.H. Levy, Savannah, Georgia
Marion Abrahams Levy, Savannah, Georgia
Ruth Hendricks Schulson, New York City
Dr. Louis Schmier, Valdosta State College, Valdosta, Georgia
Evelyn Schwartz, Paterson, New Jersey
Lyman Spaulding, Cheyenne, Wyoming
Dr. Norton B. Stern, Santa Monica, California
Maxwell Whiteman, Elkins Park, Pennsylvania

בעמוד ממול:
מפה של החוף האטלנטי, עם מראה ניו־אמסטרדאם.
תחריט, 1651 בערך.

On the opposite page:
Map of the Atlantic coast,
with New Amsterdam in the inset.
Etching, c1651.
(Courtesy of the New York Public Library)

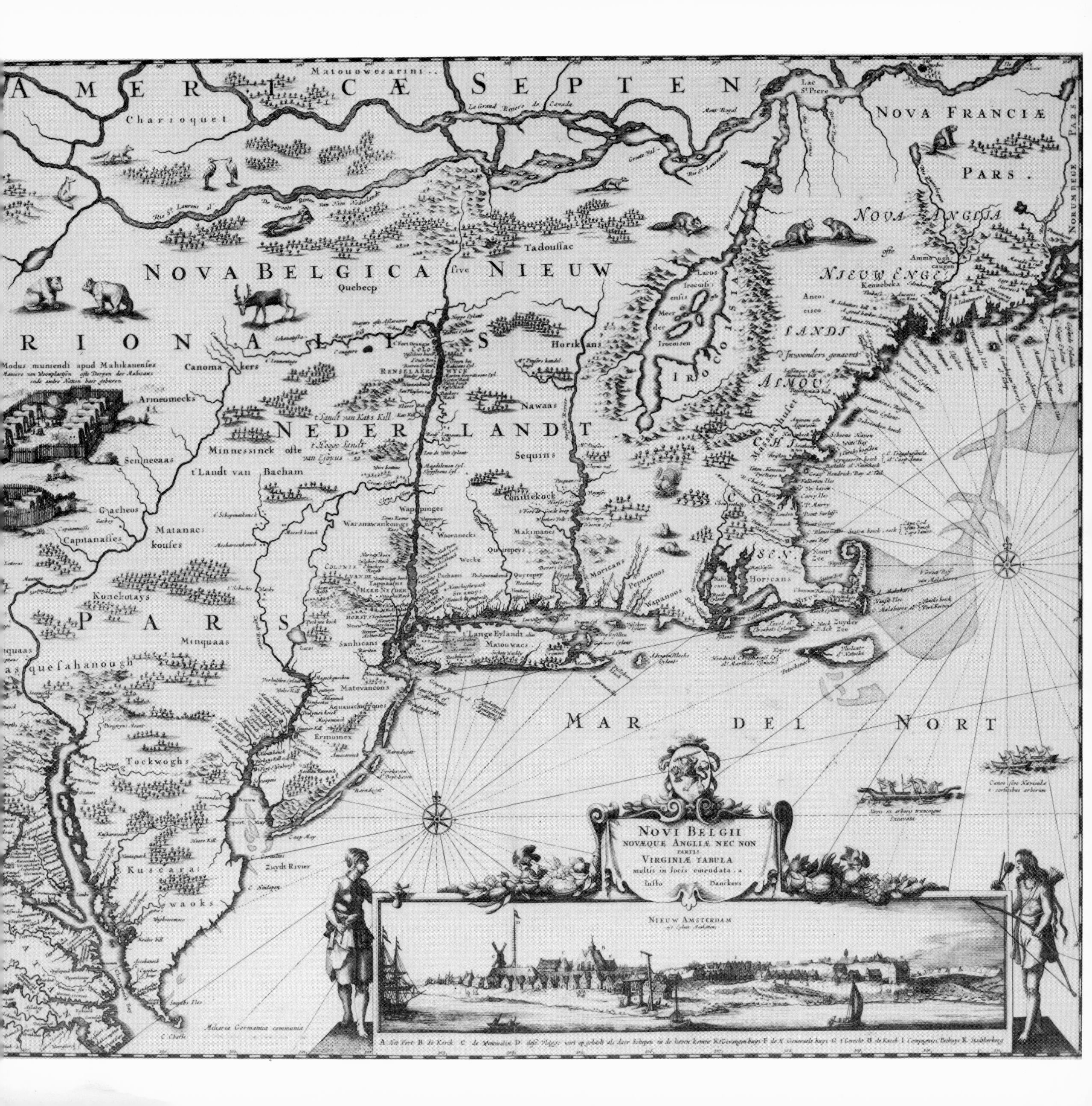

AMERICÆ SEPTEN
NOVA FRANCIÆ PARS
NOVA ANGLIA ofte NIEUW ENGE LANDT
NOVA BELGICA five NIEUW NEDERLANDT
RIONALIS PARS
Modus muniendi apud Mahikanenses
Mar del Nort
Novi Belgii Novæque Angliæ nec non partis Virginiæ tabula multis in locis emendata. a Iusto Danckers
Nieuw Amsterdam
Miliaria Germanica communia

The exhibition "In the Footsteps of Columbus" is the outcome of a research project conducted by Dr. Kenneth Libo who, in a period of over two years, brought together thousands of items. Out of these, the exhibition comprises some 350 photographs, objects, documents and paintings, some of them original, which are displayed in three sections: The First Generations, 1654-1830; The German Immigrants, 1830-1880; and Community Life.

Beth Hatefutsoth would like to thank the curators of the exhibition, Dr. Kenneth Libo and Mrs. Leorah Kroyanker, and all its staff, without whose devoted work this exhibition could not have been realized.

Special thanks are due to Mrs. Gloria Bloch-Golan of the American Friends of Beth Hatefutsoth. We are also grateful to the Norman and Rosita Winston Foundation, New York; to the Charles E. Smith Family Foundation, Washington D.C., to the Grand Street Boys Foundation, New York, and to the Lucius N. Littauer Foundation, New York, for their generous support of the exhibition.

The catalogue is bilingual: English and Hebrew. The illustrations in the center of the catalogue should be looked at from right to left, following the direction of Hebrew reading.

About the Exhibition

"In the Footsteps of Columbus" documents the extraordinary accomplishments of Spanish and German-speaking Jews who came to America before the onset in 1881 of the Great East European Migration. Our story begins in the 1650s, when the eastern seaboard was the western frontier of Europe, and continues through the Industrial Revolution, the Civil War, and the conquest of the Wild West over two centuries later.

This is anything but a sentimental journey into the past. We have collected images and artifacts that forcefully convey the gritty texture of the lives of people who, while helping their fellow immigrants create a new civilization, forged new Jewish communities of their own, often in the wilderness.

Those who came first established congregations of considerable importance up and down the Atlantic seaboard. These settlements were of tremendous significance as economic spearheads pointing toward a rapidly expanding western frontier.

Later nineteenth century arrivals, from German-speaking countries, settled in the North and far West. Wherever they settled, they became an integral part of local American life. They built banking, manufacturing and merchandising centers that formed the basis for large and vibrant Jewish communities.

These were the Jews who established the American Reform Movement, B'nai B'rith and philanthropic societies throughout the country to help Yiddish-speaking newcomers from Eastern Europe.

Such individuals were willing to suppose that the Diaspora for them was a blessing, not a curse, and that America was their Promised Land. For a people oppressed for centuries, here indeed was cause for celebration.

In the preparation of this exhibition, which took over two years, many libraries, archives, synagogues and homes were visited, and many scholars, rabbis and lay leaders were consulted who, with unstinting generosity, gave of their time and knowledge. Beth Hatefutsoth would like to offer special thanks to Dr. Nathan Kaganoff and Bernard Wax of the American Jewish Historical Society at Waltham, Massachusetts, without whose cooperation this exhibition would not have been possible. We are especially indebted, also, to Dr. Jacob Rader Marcus, Dr. Abraham Peck and Fannie Zelcer of the American Jewish Archives at Cincinnati; Joan Rosenbaum and Norman Kleeblatt of New York's Jewish Museum; Alice Greenwald of Philadelphia's National Museum of American Jewish History; Ruth Kelson Rafael of Berkeley, California's Western Jewish History Center; Evelyn Cohen of New York's Jewish Theological Seminary; Joseph Tarica and Victor Tarry of New York's Congregation Shearith Israel; Cissy Grossman of New York's Central Synagogue; Reva Kirschberg of New York's Congregation Emanu-El; Rabbi Joshua Toledano, Labron Shuman and Florence Finkel of Philadelphia's Congregation Mikveh Israel; Rabbi William A. Rosenthall of Charleston's Congregation Beth Elohim; Rabbi Saul Rubin of Savannah's Congregation Mickveh Israel; Maxwell Whiteman of Elkins Park, Pennsylvania; Janice Rothschild Blumberg of Washington, D.C.; Mr. and Mrs. B.H. Levy of Savannah, Georgia; Annette Levy of the Jewish Federation of Nashville & Middle Tennessee; Lily Schwartz of the Philadelphia Jewish Archives Center at the Balch Institute; Ruth Hendricks Schulson; Abraham Minis of Savannah, Georgia; Rabbi Malcolm Stern of New York City; and Rabbi Abraham Karp of Rochester, New York.

Dr. Kenneth Libo
Leorah Kroyanker

Curators

In the footsteps of Columbus

Jews in America 1654-1880

Dr. Kenneth Libo

America marks a new chapter in the history of the Diaspora. Over the centuries, Jews had lived as a scattered people, segregated by law and custom, uprooted from their land, tolerated here — despised elsewhere. Jews had learned to survive as a landless nation of wanderers set apart from others — as a "peculiar people" deriving spiritual sustenance from the hope of some day returning to their homeland.

America was different. A new country struggling to free itself from the iniquities of an Old World order, America provided not only asylum and protection but also equal rights to Europeans of various ethnic backgrounds irrespective of their religious convictions. Quakers, Catholics, Presbyterians, Baptists, Anabaptists, Huguenots, Dutch and German Reformed, Pilgrims, Puritans — all of these groups learned in time to look upon one another as fellow citizens with common bonds strong enough to overcome ideological differences. Here at last was a land where even Jews could live out their lives secure in the knowledge of their inalienable rights to life, liberty and the pursuit of happiness.

Early Communities

This was not so for the earliest Jewish arrivals — a group of twenty-three men, women and children who, in 1654, sought refuge in the Dutch West Indies Company's trading outpost of New Amsterdam. They were the descendants of Jews expelled from Spain who had settled in Amsterdam in the 1590s, shortly after Holland had freed itself from Spain. International merchants, the Jews of Amsterdam did a brisk trade in such New World commodities as sugar and tobacco, cotton and indigo.

After the Dutch wrested Brazil from the Portuguese in 1630, the Jews of Amsterdam were instrumental in establishing a vigorous Jewish community in the port city of Recife. But in 1654 the Portuguese reconquered Brazil. Fearing the worst from the long arm of the Portuguese Inquisition, the Jews of Recife had no choice but to seek out safer havens. Some returned to Holland while others remained in the New World.

Those who ventured as far north as New Amsterdam received a cold welcome from the colony's governor, Peter Stuyvesant. Making no secret of his deep-seated hatred of Jews, in a letter to the directors of the Dutch West India Company in Amsterdam, Stuyvesant recommended that "such hateful blasphemers of the name of Christ... with their customary usury and deceitful trading with Christians... be not allowed further to infect and trouble this new colony."

Stuyvesant failed to persuade the colony's directors to ratify his recommendation as a result of protests from Menasseh Ben-Israel and other influential Jews in Amsterdam. Quick to point out that "many of the Jewish nation are principal shareholders in the Company" that owned the colony, Ben-Israel and his associates ultimately persuaded the directors to allow Jews to settle along the Hudson and Delaware rivers.

During the next ten years, the Jewish population did not grow very much; some of the original settlers returned to Amsterdam. Their place was taken by other Jews whose roots were in Spain or Portugal. Their poverty is revealed by the small tombstones they erected in a tract of land set aside in 1656 as a Jewish burial ground, as well as in the colony's records where they are described as peddlers, tinkers and tailors. In 1664, the British captured New Amsterdam and renamed it New York. By then Jews enjoyed many of the same rights (other than the right to vote) as their non-Jewish neighbors — e.g., the right to own land, to travel about freely, to worship as they wished, and to bear arms. In 1664 these rights were reinforced by an order from

בעמוד ממול: מראה העיר ניו-יורק.
תחריט, ראשית המאה ה-18.
בתקופה זו חיו כ-500 יהודים בלבד בצפון אמריקה.

On the opposite page:
View of New York. Etching, early 18th century.
At that time, no more than 500 Jews lived in all of North America.
(Courtesy of the New York Public Library)

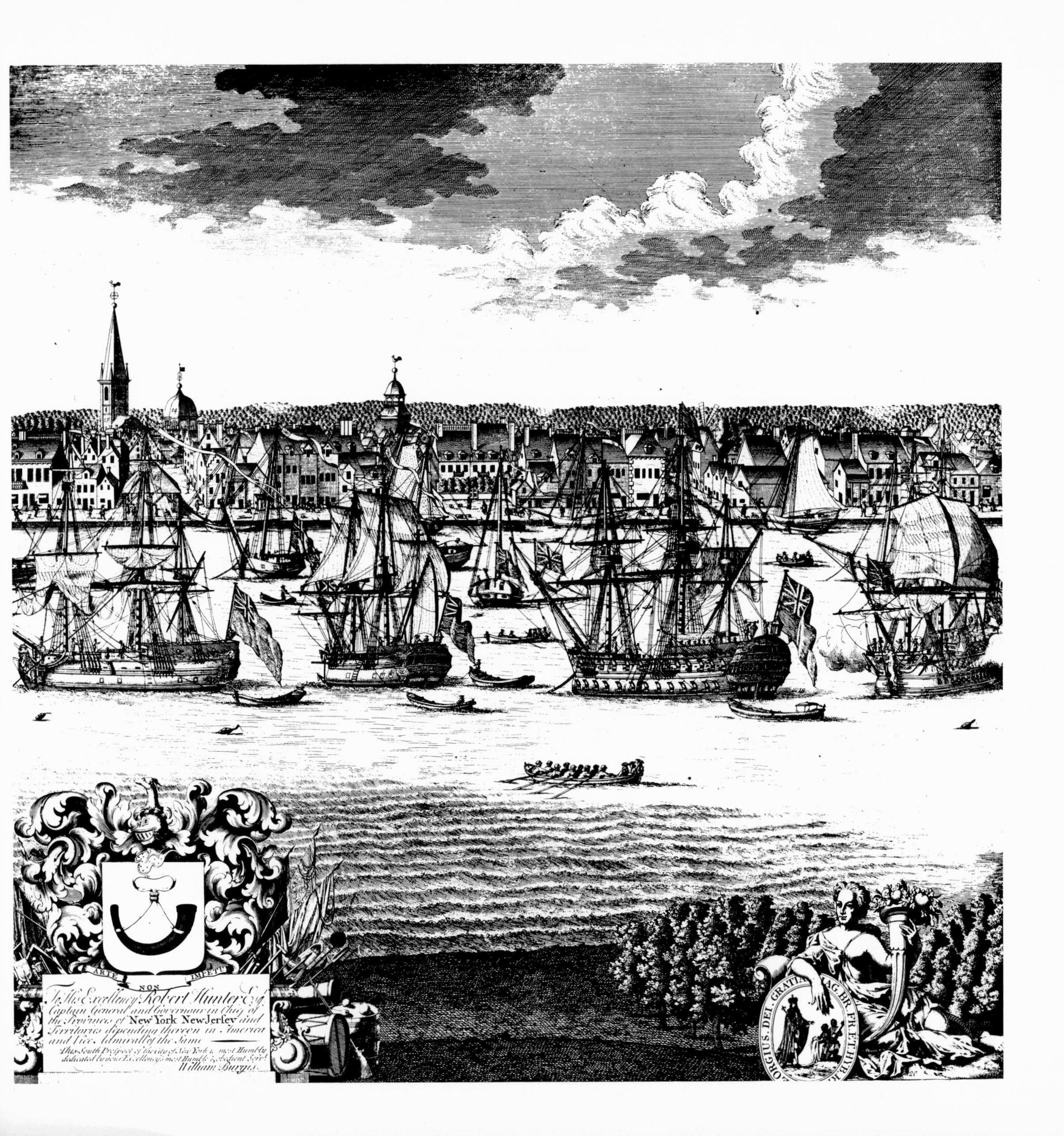
ARTE NON IMPETU
To His Excellency Robert Hunter Esq.
Captain General and Governour in Chief of
the Provinces of New York New Jersey and
Territories depending thereon in America
and Vice Admirall of the Same
This South Prospect of the City of New York is most Humbly
dedicated by your Excellency's most Humble & Obedient Serv.t
William Burgis.

London to the colony's governor to "... permit all persons of what Religion soever, quietly to inhabit within ye precints of yor jurisdiction without giveing ym any disturbance or disquiet whatsoever." Henceforth Jews were free to settle and trade in New York without interference from government or religious authorities.

North America's first Jewish congregation, Shearith Israel, traces its history back to the arrival of the first group of settlers in New Amsterdam in 1654. By the time of the Revolutionary War, congregations had also been established in Savannah, Charleston, Philadelphia and Newport. Because there was no Rabbinate in North America at that time, and therefore no authoritarian hierarchy to exercise a centralizing influence, each congregation operated pretty much on its own. What the Jews of Charleston or Savannah did was their own business. What the Jews of New York or Newport did was their own business too. Nor did any single mode of worship develop within individual congregations. Rather, according to Manuel Josephson, a member of the New York Jewish community, in a letter dated 1789:

> As to our North American congregations... they have no regular system, chiefly owing (in my opinion) to the smallness of their numbers, and the frequent mutability of its members from one place to another... Every new member introduces something new, either from his own conceit and fancy, or (what is more probable) from the custom of the Congregation where he was bred, or the one he last came from.

רשימת התורמים לבניין בית הכנסת "שארית ישראל" ברחוב מיל, ניו-יורק, 1728.

Subscription list of contributors for building the Shearith Israel Synagogue on Mill Street, New York, 1728. (The Lyons Collection; courtesy of the American Jewish Historical Society, Waltham, Mass.)

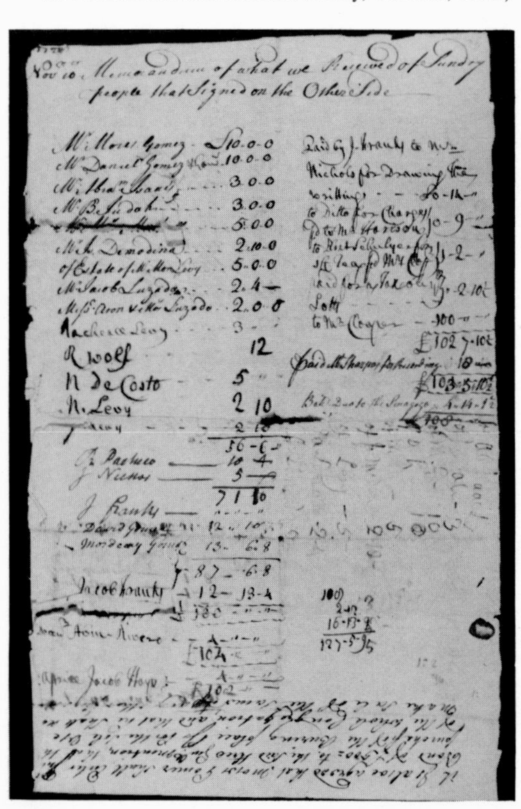
Nov 10. Memorandum of what we Received of Sundry people that Signed on the Other Side

Mr Moses Gomez £10-0-0
Mr Daniel Gomez 10-0-0
Mr Ab. Isaacs 3-0-0
Mr B. Judah 3-0-0
5-0-0
Mr Demedina 2-10-0
of Estate of Mr Levy 5-0-0
Mr Jacob Luzada 2-4-
Miss Aron & Mr Luzada 2-0-0
Rachel Levy 3-
R Wolf 12
N de Costo 5
N. Levy 2 10

Sephardim and Ashkenazim

This problem was exacerbated by the presence of both Sephardi and Ashkenazi Jews in every colonial American congregation, with their own distinctive culture and language. Sometimes, differing religious convictions created additional problems. In Savannah, Ashkenazim from the ghettos of Germany and Poland were "rigid observers of their law," while the Sephardim, the descendants of Christianized Jews from Portugal and Brazil, were "more lax in their way, and dispense with a great many of their Jewish rites," including the custom of eating kosher meat.

In New York, where Sephardic traditions had taken root well before the arrival of Ashkenazi families, Spanish-speaking *melamdim* were employed by Shearith Israel to teach the children of both groups Sephardic customs and rituals. Convinced that theirs was the superior culture, the Sephardim of New York had little to do with Ashkenazi "newcomers" who refused to conform to their social habits and religious traditions. Because the Ashkenazim were too few to form a congregation of their own, they were left with the choice of conformity with the ways of the Sephardim or expulsion.

As there was no rabbinic leadership, Jewish education tended to be thinly spread. At Shearith Israel, a *Bet Midras* for the pupils was built next to the synagogue in 1731. Similar structures were erected somewhat later by other North American congregations; however, it was not until the early 1800s that students received more than a rudimentary knowledge of the Hebrew language. Nor were facilities established for advanced religious study until much later. With secular education in the hands of proselytizing Christian clergymen throughout the eighteenth century, conversion was an ever-present threat to the survival of the North American Jewish population, which numbered fewer than three thousand.

Living so far removed from the main centers of Diaspora Judaism, traditional Jews often found themselves warring against the forces of assimilation with no one to turn to for help beyond the precincts of their tiny congregations. As a result, synagogue boards, called *adjuntas* in accordance with Sephardi custom, had to go to great lengths to get Jews to attend services, observe the Sabbath, and adhere to the laws of *kashrut* by buying meat from a licensed *shohet*.

On occasion threats of excommunication and the denial of burial privileges were resorted to. However, in a country where religious freedom included the right not to be religious, threats alone were not enough to keep many Jews from doing as they pleased. It is not surprising then that in the eighteenth century the known Jewish population of North America remained minute.

The problems faced by the Jews of New York and Philadelphia were minor in comparison to those of smaller settlements, like Petersburg, Virginia. The following lament is from a letter written by a Jewish woman in 1791 to her parents in Germany:

> ...There are here ten or twelve Jews and they are not worthy of being called Jews. We have a *shoechet* who goes to market and buys *treyfe* meat and then brings it home. On Rosh Hashonah and Yom Kippur the people worshipped here without one *sefer torah,* and not one of them wore a *tallis* or *arba knafot* except Hyman and my Sammy's godfather.
> ...The way we live now is no life at all. We do not know what the Sabbath and holidays are. On the Sabbath all the Jewish shops are open. They do business on that day as they do throughout the whole week.

Given what we know about the quality of Jewish life in colonial America, it is hardly surprising that Gershom Mendes Seixas, America's first native-born *hazzan,* was no stranger to hardship and disappointment. The head of a family of fourteen, Seixas could barely support his wife and children on his *hazzan's* salary, even when supplemented with what he earned as a *mohel, shohet* and *melamed.* Seixas frequently petitioned Congregation Shearith Israel's ruling *adjunta* for more money — an act of courage in America where, unlike in Europe, a rabbi or *hazzan* was not employed for life. Rather, religious functionaries served at the whim of wealthy laymen with the power to hire and fire at will.

Seixas fared better in Gentile circles than among his fellow Jews. Chosen as one of thirteen religious leaders to attend George Washington's first inauguration in New York, Seixas also served as an incorporator of Columbia College and as a trustee of New York City's Humane Society. Eventually Seixas came to function as an ambassador of sorts, representing the Jewish community of New York to the Gentile world at large. It was in this capacity that he earned the respect of Jews and Gentiles alike for his "happy talent of being alike agreeable to all men, and of adapting himself with promptitude and propriety to every temper and to every combination of circumstances."

Economic Success

As settlers in a country virtually free of economic discrimination against religious groups, Jews were able to earn their livelihoods in a variety of ways. Some traveled as peddlers to Indian villages to exchange homemade liquor, silk handkerchiefs and silver trinkets for pelts and hides. Others worked as artisans or skilled craftsmen — butchers, bakers, shoemakers, tailors, copper and silversmiths. The best known Jews in colonial America, though not necessarily the most numerous, were merchants who traded in everything from Bibles and bottled beer to rum and sugar. Some, like Aaron Lopez, were slave-traders. A Portuguese Jew who owned over thirty ships, Lopez was also Newport's highest taxpayer.

Equally famous were Moses Levy and Jacob Franks, founders of an international mercantile operation headquartered in New York. An Ashkenazi Jew born in Germany in 1665, Levy traveled to New York from London as a young man, and by 1700 had been joined by his brothers, their wives and children. At the time there could not have been more than a hundred Jews residing in New York. Too few to form a neighborhood of their own, they mixed freely with their Gentile neighbors.

מודעה על מכירת סידורים ומחזורים,
שהתפרסמה בעיתון "אינדיפנדנט גאזטיר", פילדלפיה, 1785.

Advertisement in "The Independent Gazeteer" of Philadelphia for sale of Jewish prayer books, 1785.
(The Sang Collection; courtesy of the American Jewish Historical Society, Waltham, Mass.)

Juſt received and to be ſold at
ELEAZER OSWALD'S Printing-Office,
(Price 10s.) a few Copies of the
PRAYERS
FOR
SHABBATH, ROSH-HASHANAH, AND KIPPUR,
OR
THE SABBATH, THE BEGINNIG OF THE YEAR,
AND
THE DAY OF ATONEMENTS;
WITH
THE AMIDAH AND MUSAPH OF THE MOADIM,
OR
SOLEMN SEASONS,
According to the Order of the Spaniſh and Portugueſe Jews.
TRANSLATED BY ISAAC PINTO OF NEW-YORK.

To be Sold,
At Eleazer Oſwald's Printing-Office, at the Coffee-Houſe,
AN AMERICAN EDITION OF
DOCTOR WATTS's
IMITATION
OF THE
PSALMS
OF
DAVID,
Corrected and enlarged by *Joel Barlow,* of Hartford in Connecticut---
To which is added a Collection of
HYMNS.
The whole applied to the State of the CHRISTIAN CHURCH in general.

RECOMMENDATION.

AT a meeting of the General Aſſociation of the State of Connecticut, in June laſt, it was thought expedient, that a number of the Pſalms in Doctor Watts's verſion, which are locally appropriated, ſhould be altered and applied to the ſtate of the Chriſtian Church in general, and not to any particular country; and finding ſome attempts had been made to alter and apply thoſe Pſalms to America, or particular parts of America, tending to deſtroy that uniformity in the uſe of Pſalmody, ... religious aſſemblies; they appointed the

To the Hebrew Congregations in the Cities of Philadelphia, New York, Charleston and Richmond.

Gentlemen.

The liberality of sentiment towards each other, which marks every political and religious denomination of men in this Country, stands unparalleled in the history of Nations. — The affection of such a people is a treasure beyond the reach of calculation; and the repeated proofs which my fellow Citizens have given of their attachment to me, and approbation of my doings form the purest source of my temporal felicity. — The affectionate expressions of your address again excite my gratitude, and receive my warmest acknowledgment.

The Power and Goodness of the Almighty were strongly manifested in the events of our late glorious revolution; and his kind interposition in our behalf has been no less visible in the establishment of our present equal government. — In war he directed the Sword; and in peace he has ruled in our Councils. — My agency in both has been guided by the best intentions, and a sense of the duty which I owe my Country: — And as my exertions have hitherto been amply rewarded by the approbation of my fellow Citizens, I shall endeavour to deserve a continuance of it by my future conduct.

May the same temporal and eternal blessings which you implore for me, rest upon your Congregations. —

G. Washington

מכתב מג׳ורג׳ וושינגטון לקהילות היהודיות של פילדלפיה,
ניו-יורק, צ׳ארלסטון וריצ׳מונד, 1790.
וושינגטון מודה לקהילות על איחוליהן לרגל היבחרו לנשיאות.

Letter from George Washington to the Jewish communities of Philadelphia, New York, Charleston and Richmond, 1790. In his letter, General Washington thanks the communities for their greetings upon his appointment as President. (Courtesy of Congregation Mikveh Israel, Philadelphia)

Taking full advantage of commercial contacts in London and the West Indies, Levy soon became a successful importer of finished goods, and exporter of raw materials and foodstuffs. Business was so good that by 1711 Levy and five other successful Jewish merchants contributed money for the completion of a spire on New York's Trinity Church. As a freeman, Levy exercised his right to vote in local elections. As a wealthy Jew, he played an important role in the affairs of Congregation Shearith Israel. In 1728, the year of his death, he served as president.

Levy's daughter, Abigail, married a London "Jew broker", Jacob Franks, who came to New York for the express purpose of marrying into Levy's family. As soon as they could afford it they moved into a house of their own on the fashionable east side of town, where they mingled freely among Jewish and Gentile merchant families; so freely that several of their children married out of the faith.

Following in the footsteps of his father-in-law, Jacob prospered by trading in a wide range of commodities — tea, iron, guns, rice. His sons Naphtali and Moses in London, and David in Philadelphia, were of great help. Through their joint efforts, they succeeded in acquiring over 750,000 pounds in military contracts from the British during the French and Indian War, an enormous amount in those days.

Discrimination and Equality

Though anti-Semitism was not a major problem for Jews in colonial America, occasionally attempts were made to disenfranchise Jews. In 1737, during an argument that arose over the outcome of a New York Assembly election, a Puritan lawyer declared in an impassioned speech that an apparent majority had been gained through Jewish votes, but that since Jews were responsible for the death of Christ, they should not have been allowed to vote in the first place. Without further ado, the Assembly passed a resolution that Jews ought "not to be admitted to vote for representatives in this colony." The resolution remained in effect until the Revolutionary War.

In Pennsylvania, Jews were effectively barred from holding public office until 1790. Conditions were no better in Rhode Island, where the Superior Court held that no Jew could hold any office or vote. It was not until the adoption of the Federal Constitution in 1788 that a strong precedent was established for making no political distinction between American citizens on the basis of religious orientation.

Unquestionably, America has not always lived up to its promise of universal liberty and religious toleration. Even so, the conscience of the country has been tempered by an essential belief in these principles as articulated by America's Founding Fathers. Recognizing that the exercise of one's duties as a citizen should not be made contingent on one's religious loyalties, George Washington welcomed Jews as fellow citizens in 1790 with the assurance that in America "all possess alike liberty of conscience" under a government which "gives to bigotry no sanction."

This declaration, together with the Bill of Rights, had an enormous effect on Jews growing up in a new nation inspired by a revolution which was still very much alive. It encouraged them to enter a wide range of occupations from which Jews had been excluded for centuries. Those with backgrounds in international trade became federal officials. Others served as policemen and sheriffs, military officers and judges. The most adventurous traveled as far west as Illinois and Wisconsin, as equals among free men.

These early settlers were not particularly learned in either Judaic texts or secular knowledge. In no way could it be argued that they changed the course of either American or Jewish history. Yet they continue to fascinate us, for they were among the first to pose the question of whether or not Jews can survive as Jews in an essentially hospitable Diaspora environment devoid of major barriers to assimilation. All that was clear at this early stage was the complex nature of the American Jewish experiment. For already there were those who stayed east and those who went west, those who came with special privileges and those who suffered discrimination, those who cared about the faith of their fathers and those who did not, those who remained uprooted and those who succeeded in transplanting themselves.

The German Immigrants

A combination of factors on both sides of the Atlantic led to an increase in the Jewish population of America — from a mere five thousand in 1830 to 250,000 in 1880. In the wake of Napoleon's defeat, Europe witnessed frequent outbreaks of anti-Semitism. Though no longer required to live in ghettos, Jews living in the German-speaking lands of Central Europe had been severely restricted by a host of discriminatory measures. Emigration from these lands reached its peak in the early 1850s as a result of the economic hardships and the political oppression following the 1848 Revolutions. Simultaneously, in America a steady westward expansion attracted a new wave of immigrants.

In the South three states were created in a single decade — Louisiana in 1812, Mississippi in 1817 and Alabama in 1819. The North experienced similar developments: Indiana joined the Union in 1816, Illinois in 1818 and Missouri (the first state completely west of the Mississippi River) in 1821. The opening of the Erie Canal in 1825, followed by the construction of railroads east to west and north to south, greatly accelerated this process. By 1848 America controlled a vast expanse of land stretching from the Atlantic to the Pacific Ocean with a total population of twenty three million.

The Jews who came to America during this period were predominantly from small towns in Central Europe. The offspring of artisans, craftsmen and petty traders, they yearned to leave political injustice and social stagnation behind in their quest for a country where "the sun of freedom shines for us too." In an 1841 message to Congress, President John Tyler offered an invitation "to the people of other countries... to come and settle among us as members of our rapidly growing family... and thereby perpetuating our liberties." By that time, Jews had every reason to believe that the invitation applied as much to them as to their Gentile neighbors.

Frequently, entire families would emigrate, coming one or two at a time. As the emigration-fever increased, scores of individuals from nearly every Jewish community in Germany left the fatherland "to seek their fortune on the other side of the ocean." By the time of the Civil War, Jews were to be found at every point of the rapidly expanding frontier.

For newcomers, Jewish wholesalers and manufacturers back East were of tremendous importance as suppliers. Because of their willingness to extend credit to a fellow Jew, a newcomer without a cent in his pocket could start out as a peddler with a pack of merchandise on his back. Such was the story of Joseph Hays, who joined his family in Cleveland shortly before the Civil War:

> About two weeks after I had been in Cleveland I became impatient to get out and earn money for myself. My brother Kaufman... sent me out to a printing office to buy a large pasteboard box covered with black oilcloth and straps. When I returned with it Kaufman selected my first stock...
> Next morning bright and early Kaufman gave me a paper upon which was written the necessary

מפגש התעלות ״אירי״ ו״שמפליין״, מצפון לאולבני שבמדינת ניו-יורק.
תחריט צבעוני, 1832 בערך.

The junction of the Erie and the Champlain canals, north of Albany, New York. Color engraving, c1832. (Courtesy of the New-York Historical Society)

questions and answers which I needed in selling goods, getting money changed, and obtaining food and lodging...
[days later] after my supper I emptied my money bag on the table. My sister Yetta helped me count it. She laughed and encouraged me as she stacked the money, and said, "Du wirdst noch ein Kotzen sein (You will be a rich man some day)."

Traveling south or west either by foot, covered wagon or river boat, many Jewish peddlers ventured where no Jews had been before. If business was good, more would follow until there were enough to form a tiny congregation.

A few, like Bavarian-born Levi Strauss, traveled by ship from New York to California. The journey took Strauss three months and cost nearly $400. Arriving in the boom town of San Francisco, Strauss wasted no time in opening a tent store where he sold goods to miners, sailors and cowboys. Soon he was a familiar sight in gold towns with such odd names as Fiddletown, Michigan Bluff, Murphys, and Chinese Camp. Competition was keen. Many went under. But not Strauss, who by the outbreak of the Civil War was running a $3 million a year dry goods, clothing, and household furnishings store in San Francisco. By then he was well on his way to becoming a leading manufacturer of clothing "specially adapted for the use of farmers, mechanics, miners and working men in general." In 1880 alone, 100,000 Levi Strauss overalls were turned out, with a printed oilcloth guarantee attached to the seat of each pair.

מודעת פרסומת של בית המסחר לבגדים של נתן ליברמן,
שנוסד ב-1862, והחזיק במלאי הבגדים הגדול בעיר.
וילמינגטון, דלאוור, 1873.

Advertisement for Nathan Lieberman's "clothing house"
which was founded in 1862
and carried the largest stock of clothing in the city.
Wilmington, Delaware, 1873.
(Courtesy of the Delaware Historical Society, Wilmington)

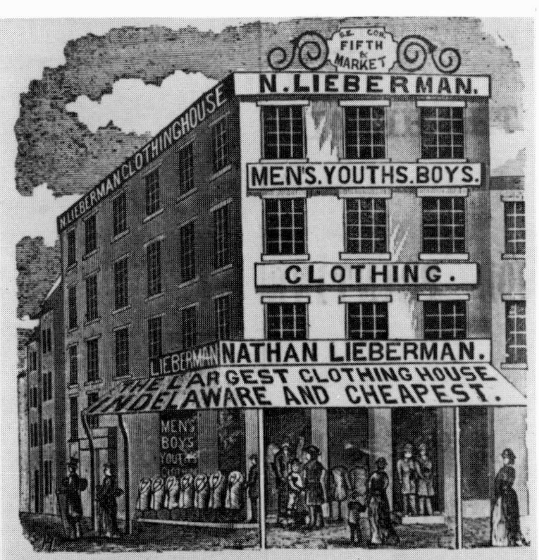

On July 2, 1854, a motley group of peddlers, cattle dealers, dry goods merchants and clothiers met in a back room in Los Angeles to organize a Hebrew Benevolent Society "for procuring a piece of ground suitable for burying the deceased of their own faith, and also to appropriate a portion of their time and means to the holy cause of benevolence." Out of such rude beginnings a full-fledged Jewish community would develop with a rabbi, *melamed, mohel, shohet, shamash, shul* and *heder.* In the 1880s a network of such communities existed throughout the country, embracing a Jewish population of 300,000 — far more than the Jewish populations of England or France.

The economic basis for these communities was a Jewish-owned manufacturing and merchandising network concentrated mainly on the Atlantic and Pacific seaboards, along the Great Lakes, and on the Ohio, Missouri and Mississippi rivers. Their crowning achievement was the creation of the ready-made men's clothing industry and the proliferation of the department store.

Jews in America were no strangers to the clothing business. As buyers and sellers of used clothing, Jews had gained a reputation in New York in the early decades of the nineteenth century. By the 1840s, their principal place of business in New York, Chatham Street, was called Jerusalem "from the fact that the Jews do most of the business on this street with a Yankee stuck in now and then by way of variety."
Soon after Elias Howe's invention of the sewing machine in 1846, German Jews began manufacturing men's clothing, not only in New York but also throughout the industrial North. By 1859 Cincinnati's Jewish-owned clothing industry employed more workers (14,580) than any other industry in the "Queen City of the West." With 134 factories producing goods valued at $15 million, Cincinnati had become the largest producer of ready-made men's clothing in the United States. By 1880 fifty percent of all Jewish firms were concentrated in some facet of the ready-made clothing industry or allied trades, with New York far ahead of Cincinnati, and Chicago, St. Louis and Milwaukee not far behind.

Though department stores were neither a Jewish nor an American invention, the names of several German Jewish families are today inseparably linked to their growth and development in America. They include the Strauses, Bloomingdales, Sternes and Altmans of New York, the

Gimbels, Lits and Snellenburgs of Philadelphia, the Kaufmans of Pittsburgh, the Goldsmiths of Memphis, the Riches of Atlanta, the Sangers and Marcuses of Dallas, the Lazaruses of Columbus, Ohio, the Rosenwalds of Chicago and the Mays, Magnins, Meiers and Frankses of the Far West. In addition to creating mercantile dynasties that played a pivotal role in the development of American commerce, these families created and supported hospitals, libraries, orchestras and museums that contributed significantly to improving the quality of life in urban America. German Jews were also active in developing America's shoe, grain, fishing, banking, paper, copper and fur industries, with such names as Florscheim, Friedlander, Fels, Schwab, Zellerbach, Guggenheim, Kuhn, Loeb and Schiff widely recognized and respected in nineteenth century America by Jews and Gentiles alike.

The Reform Movement

With the arrival, in the wake of the Revolutions of 1848, of a number of university-trained rabbis from Bavaria, Prussia and Bohemia, a major movement for religious reform came into being in America. Its goal: to adjust age-old religious beliefs and customs to the progressive spirit of the times. For these rabbis, the Talmud was as much an impediment to their faith as was the auctioning off of honors or the belief in miracles.

In 1854 Rabbi Isaac Mayer Wise, a fiery proponent of Reform, became the spiritual leader of Cincinnati's Reform congregation, Bene Jeshurun. In the same year, Wise founded *The Israelite* (after the Civil War the title was changed to *The American Israelite),* a weekly English-language publication ostensibly devoted "to the Religion, History, and Literature of the Israelites." A skilled polemicist, Wise used the pages of his newspaper to attack what struck him as antithetical to modern life in America.

"Lay your hand on your heart, be calm and honest, and ask yourself," Wise wrote to his readers, "whether you can justify your cause before God if coming generations of Israel will be lost to our sacred cause because you imposed on them doctrines which caused them to reject the whole system?" Assuring his readers that *he* could not, he then proclaimed it their "sacred mission" to remove those rituals and customs from "the system of our faith" which made them feel uncomfortable as Jews.

This led to the discontinuation of such ancient Jewish customs as the covering of heads, the wearing of phylacteries, and the adherence to Hebrew in much of the ritual. By getting rid of the traditional *huppa* as well as the custom of burying Jews in shrouds and plain caskets, it was possible for a German Jew in nineteenth century America to go from the altar to the grave without appearing conspicuously Jewish.

Wise and his associates achieved their goals in less than a generation: by the time of the Civil War, Reform Judaism was practiced by an overhelming majority of Jews in America. The Reform movement in America had clearly come of age with the establishment of the Union of American Hebrew Congregations in 1873 and the opening two years later of the Hebrew Union College, the first successful institution of Jewish higher learning in the New World.

By now the dominant conditions of American education had been defined as public, universal and entirely free, with no religious instruction and no public funds for religious schools. As a result, any group that wanted full-time schools of its own had to compete with public schools using its own resources. In the 1840s and '50s, German Jewish immigrants struggled to maintain full-time religious schools in New York, Albany, Cincinnati, Chicago, Boston, Baltimore, and Philadelphia; however, such attempts invariably failed. One reason may have been that there was simply not enough money among newly arrived immigrants to provide their children with

בית הכנסת הרפורמי "בני ישורון", שנחנך בסינסינטי ב-1866.
רב בית הכנסת היה א.מ. וייז.
הבניין, שנבנה בסגנון ביזנטי-מורי, הוא אחד מאתריה הבולטים של העיר.

The B'nai Yeshurun Reform Temple,
dedicated in Cincinnati in 1866.
This was Rabbi I.M. Wise's Temple,
and its ornate Byzantine-Moorish style
architecture makes it one of the city's landmarks.
(Courtesy of the American Jewish Archives, Cincinnati)

הזמנה לקבלת-פנים ונשף צדקה למען בית החולים היהודי, ניו-יורק, 1858.
בית החולים, שנוסד ב-1852, היה בית החולים היהודי הראשון באמריקה.

Invitation to a banquet and charity ball
in order to raise money for Jews Hospital, New York, 1858.
The hospital, established in 1852, was the first Jewish hospital in America.
(Courtesy of the American Jewish Historical Society, Waltham, Mass.)

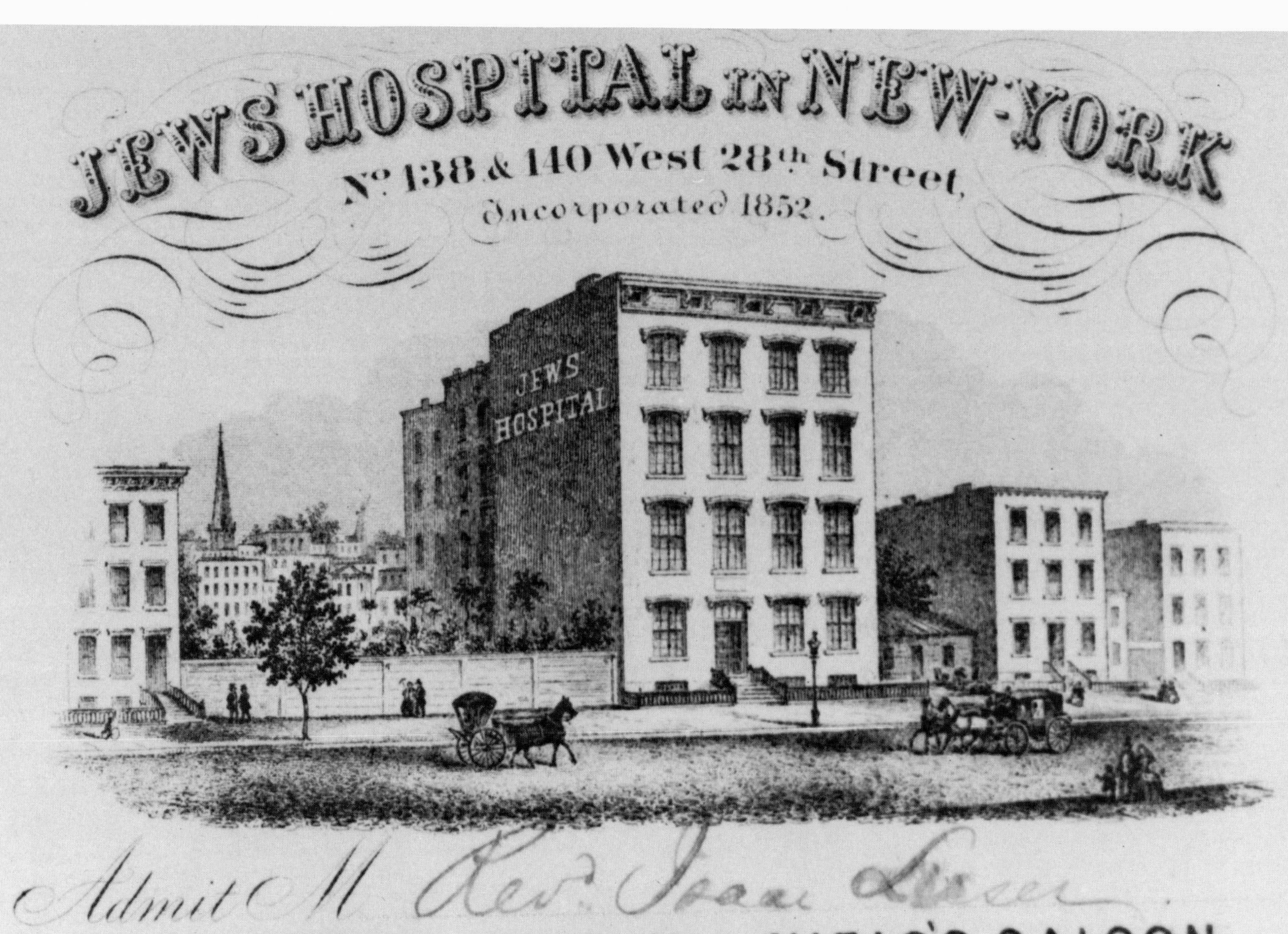

much education of any kind. Even for German-speaking Jews who could afford private religious instruction, the study of Hebrew was likely to be considered far less important than the study of such secular subjects as music, literature and history. So it appeared to I.J. Benjamin, the explorer and writer who traveled throughout America in the 1860s and discovered little acquaintance with Judaism among the children of German Jews, particularly among the daughters of the well-to-do:

> ...they provide her — to complete her education — with a music teacher, a singing teacher and a governess to continue the practice of French; the latter also teaches her to sew, knit and the like; and to give it all a final touch, they assign a teacher to give her Hebrew lessons. He must make her acquainted with the alphabet of a language in which, as a child, she should have lisped the name of God... Upon going to bed or arising in the morning, she very likely recites for her mother some Hebrew or English prayers; but as for Judaism, the child experiences and knows nothing.

As a visitor, Benjamin failed to fully appreciate the influence of Jewish home life on a child growing up in nineteenth century America. In the words of the daughter of a turn-of-the-century San Francisco merchant:

> On Friday afternoon (my father) hurried away his late customer that he might attend the service in the synagogue and hasten home to usher in the Sabbath with prayer and thanksgiving. As the Passover found the house cleansed of leaven, so the Day of Atonement found his heart purified of sin... Father's passionate obedience to religious observance was only one aspect of his ardor for righteousness. He wanted to be good, he wanted to do right; he wanted profoundly above all things, to be a good man, a good father, a good citizen...

Organizations and Clubs

While the institution of the German Jewish family did not change radically in America, outside of the family circle a social revolution was taking place: the secularization of Jewish communal life in America. In the Old World, the synagogue had served as the center of educational, philanthropic and social activities. In colonial America, this tradition persisted until the 1830s, when Jewish communal life began to expand beyond the boundaries of the synagogue, and independent clubs and societies led by laymen came into being.

Often the first of these were philanthropic organizations formed by native American Jews in response to the needs of a rapidly growing immigrant population. The Hebrew Benevolent Society of New York was one such institution. Founded in the 1820s by members of Congregation Shearith Israel, it later merged with the German Benevolent Society to establish the first Jewish orphanage in America. A similar sequence of events led to the establishment of New York's first Jewish hospital — Mount Sinai.

Out of such efforts arose a complex network of charitable institutions which eventually culminated in the establishment — around the turn of the century — of a single non-synagogue controlled federation of Jewish charitable organizations in every city in America with a sizeable German Jewish population.

Other organizations, like B'nai B'rith, provided a meeting ground for shopkeepers and clerks in search of companionship and mutual protection in a non-religious framework. Founded in 1843 by a group of German Jews in New York, by 1860 B'nai B'rith had more than fifty chapters throughout the country. It provided its members with fellowship as well as burial services, legal aid, hospitalization benefits and cultural activities. Perhaps most important of all, B'nai B'rith worked diligently "for the purpose of... breaking down all barriers that had been created from prejudices that existed in the old world and unfortunately in this."

Institutions were also created in response to strictly social needs. Clubs with such names as the

עטיפת התכניה של נשף צדקה יהודי, פילדלפיה, 1869.
ארגון הצדקה היהודי של פילדלפיה נוסד ב-1843.

Cover of a charity ball program, Philadelphia, 1869.
The Hebrew Charity Association was founded in 1843.
(Courtesy of the American Jewish Archives, Cincinnati)

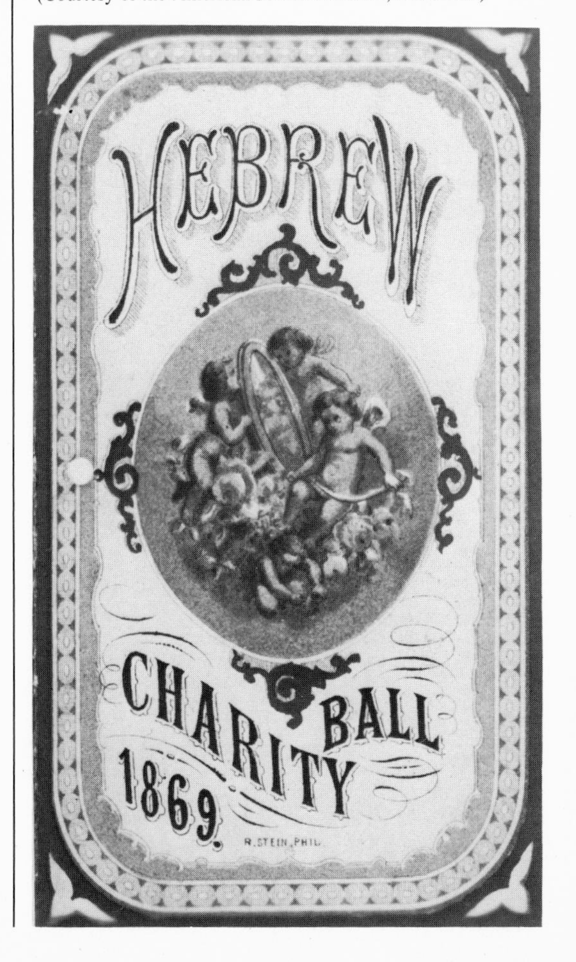

Concordia, the Phoenix, the Mercantile and the Standard were usually located in downtown areas of large cities. Organized in 1869, the Standard Club of Chicago was typical of such institutions. Located on Michigan Avenue, the club building was an impressive structure of brick and granite. On the top floor was a grand ornate ballroom, in keeping with the decor of the finest ballrooms of the era; in the basement were billiard tables and a bowling alley; and on the main floor was a dining room which served food which was as good as any in the city, a well-stocked bar, and a lounge for card playing and small talk. Here was a place where families could socialize in comfort, and where marriage plans could be discreetly discussed by parents of eligible offspring. By the late 1870s such clubs flourished in every significant Jewish population center in the country, and members of a German Jewish family could move to any section of America — North, South, East, West — without ever being more than a day away from the society of fellow Jews in familiar surroundings. For whether one happened to arrive in New York, Cincinnati, Atlanta, Memphis, New Orleans, Chicago, Kansas City, Denver, Seattle, Portland, San Francisco or Los Angeles, one could settle in a neighborhood with a sizeable German-Jewish population, join a Reform Temple, a local B'nai B'rith lodge or its Ladies' Auxiliary, and a Jewish social club.

גב' ס. ויינברג, ניופורט, 1902.
ניופורט שימשה באותה תקופה אתר נופש
לבני החברה הגבוהה באמריקה.

Mrs. C. Weinberg, Newport, 1902.
At that time, Newport was a summer resort for America's social elite.
(Courtesy of Culver Pictures, New York)

The West opened up opportunities for Jews which had not existed for them back East. One could say good-bye to being a clerk behind a counter and, like Sigmund Schlessinger, become a Colorado Indian fighter or, like Ernst Kohlberg, a Texas cowboy, or, like Bernhard Marks, a California gold prospector. Even those Jews, like Levi Strauss, who continued to pursue traditionally Jewish vocations discovered new business opportunities out West. For Jews willing to risk their lives to exchange dry goods for gold dust, the profits were enormous.

Out West even Jewish institutions had their own peculiar hallmarks. The Standard Club of Denver, for example, could boast "the finest and best appointed stage" in town, a factor of great importance in the cultural life of a city scarcely twenty years old. Its B'nai B'rith lodge functioned as a secular *beth din,* an unofficial court of law, where disputes involving Jewish merchants could be settled without resorting to frontier justice. On the religious front, rabbis with degrees from Hebrew Union College often attracted as many Gentiles as Jews to their Friday night services by taking full advantage of an atmosphere of intellectual curiosity and openmindedness unique to the American West.

Wherever Jews settled in America, they transformed themselves from "eternal strangers" into a people with a new homeland. As a result, a new era in Jewish history came into being, one in which the Diaspora was perceived as a blessing, not a curse. Nowhere was this conviction more succinctly expressed than at the 1840 dedication services of Charleston's historic Beth Elohim synagogue. "This country is our Palestine," declared the officiating rabbi. "This city is our Jerusalem, this house of God our temple." For a people oppressed for centuries, here was indeed cause for celebration.

These were the Jews who paved the way for the third and largest wave of immigration to America. Beginning in the 1880s and continuing until World War I, over two million Yiddish-speaking Jews from the Russian Pale of Settlement and the Austro-Hungarian Empire settled in the Lower East Side of New York and in other population centers where there was a growing demand for workers. During hard times "newcomers" were helped by organizations set up by German Jews to provide them with food, clothing, housing and employment. Even more important, German Jews provided those who followed them with a sense of continuity as Jews in America, a sense of belonging to a country where Jews, together with other pioneers of differing ethnic and cultural backgrounds, could contribute to the emergence of a unique civilization.

Glossary

ARBA KANFOT: Four-fringed garment (worn by observant Jews)
ASHKENAZIM: Jews originating from medieval Germany and its environs
BETH DIN: Rabbinical court
BET MIDRAS (BETH MIDRASH): Center of learning
HAZZAN: Cantor
HEDER: Hebrew class
HUPPAH: Wedding canopy
KASHRUT: Jewish dietary laws
MELAMED: Teacher
MINHAG: Custom
MOHEL: Circumcisor
SEPHARDIM: Jews originating from Spain and Portugal
SEFER TORAH: Handwritten scroll of the Pentateuch
SHAMAS (SHAMASH): Synagogue attendant
SHUL: Yiddish word for synagogue
SHOHET: Ritual slaughterer
TALLIT: Prayer shawl
TREYFE (TREFF): Ritually unclean

The catalogue is bilingual: English and Hebrew.
The illustrations in the center of the catalogue should be looked at from right to left, following the direction of Hebrew reading.

מהגרים יהודים ממזרח־אירופה מתקבלים בזרועות פתוחות על ידי אחיהם האמריקאים.
״תמונת פרס״, שלהי המאה ה־19.

East European immigrants being greeted by their fellow Jews upon their arrival in America.
"Scrap picture", late 19th century.

Give me your tired, your poor,
Your huddled masses yearning to breathe free,
The wretched refuse of your teeming shore.
Send these, the homeless, tempest-tossed, to me,
I lift my lamp beside the golden door!

From "The New Colossus" by Emma Lazarus

ג׳וזף פוליצר כנושא דגל ״הרפורמה הרפובליקנית הליבראלית״.
קריקטורה מאת ג׳וזף קפלר בעיתון ״פאק״ של סט. לואיס, 1872.
פוליצר (1911-1847) היה עיתונאי, עורך ומוציא לאור.

Joseph Pulitzer carrying the banner of Liberal Republican Reform.
Caricature by Joseph Keppler in the St. Louis "Puck", 1872.
Pulitzer (1847-1911) was a journalist, editor and publisher.
(Courtesy of the Library of Congress, Washington, D.C.)

אנשי־שם
Personalities

למעלה מימין: אמה לאזארוס (1887-1849), משוררת.
למעלה במרכז: הנרי מורגנטאו (1946-1856), איש-כספים ודיפלומט.
למעלה משמאל: אלברט מיכלסון (1931-1852), פיסיקאי, האמריקאי הראשון שזכה בפרס נובל למדעים (1907).
למטה מימין: נתן שטראוס (1931-1848), סוחר ונדבן.
למטה במרכז: ליאופולד דאמרוש (1885-1832), מנצח ומלחין; מייסד התזמורת הסימפונית של ניו-יורק.
למטה משמאל: לואי ד. ברנדייס (1941-1856), משפטן; היהודי הראשון שהתמנה לשופט בבית המשפט העליון של ארצות-הברית.

Above right: Emma Lazarus (1849-1887), poetess.
Above center: Henry Morgenthau (1856-1946), financier and diplomat. (Courtesy of the Library of Congress, Washington, D.C.)
Above left: Albert Michelson (1852-1931), physicist, the first American to be awarded a Nobel Prize of Science (1907).
(Courtesy of the Library of Congress, Washington, D.C.)
Below right: Nathan Straus (1848-1931), merchant and philanthropist.
Below center: Leopold Damrosch (1832-1885), conductor and composer; founder of the New York Symphony Orchestra.
Below left: Louis D. Brandeis (1856-1941), jurist; the first Jew appointed to the U.S. Supreme Court.

הרב אברהם אדלמן (רביעי מימין) ובני משפחתו בפתח ביתם, לוס אנג'לס, 1886.
הרב אדלמן היה רבה הראשון של לוס אנג'לס
Rabbi Abraham Edelman (fourth from right) and his family
on their front porch, Los Angeles, 1886.
Rabbi Edelman was Los Angeles' first rabbi.
(Courtesy of the Jewish Federation Council, Los Angeles)

ויליאם וברטה מאיירס עם בני משפחתם. שייאן, ויאומינג, 1905 בערך.
בני משפחת מאיירס היו מאזרחיה הבולטים של שייאן.
William and Bertha Myers with their family in their home at Cheyenne, Wyoming, c1905.
The Myers were prominent citizens of Cheyenne.
(Courtesy of Lyman Spaulding, Cheyenne, Wyo.)

צלחת הגשה מחרסינה עם תמונות בני משפחת קאהן. קרלסבאד, קולוראדו, 1885 בערך.
Limoges serving plate portraying members of the Cahn family. Carlsbad, Colorado, c1885.
(Courtesy of the Pioneer Museum, Colorado Springs)

מימין: אן קזמירסקי ודניאל ויינבאום ביום נישואיהם, ניו-יורק, 1855 בערך.
משמאל: תרזה, רבקה וסולומון לאודה, נאשוויל, טנסי, 1870 בערך.

Right: Wedding portrait of Anne Kazmirski and Daniel Weinbaum, New York, c1855.
(Courtesy of the Jewish Federation Archives of Nashville, Tenn.)
Left: Teresa, Rebecca and Solomon Laude, Nashville, Tennessee, c1870.
(Courtesy of the American Jewish Archives, Cincinnati)

מאלבום המשפחה
From the Family Album

האחים ספיגלברג, סוחרים ובנקאים, שהתיישבו בניו-מכסיקו באמצע המאה ה-19.
תצלום משנות ה-1870.
The Spiegelberg brothers, merchants and bankers,
who settled in New Mexico in the mid-19th century. Photograph, 1870s.
(The Special Collection; courtesy of the University of New Mexico, Albuquerque)

חברות במועדון ״החוג הנוצץ״, סן פראנסיסקו, 1890 בערך.
Members of the prestigious Gilded Circle Club, San Francisco, c1890.
(Courtesy of Western Jewish History Center, Sophie Gerstle Lilienthal Collection, Judah L. Magnes Museum, Berkeley)

מסיבת ראש השנה האזרחית במועדון "קונקורדיה", סן פראנסיסקו, 1897.
New Year's party at the Concordia Club, San Francisco, 1897.
(Courtesy of Bernice Scharlach, Concordia Argonaut Archives, San Francisco)

מועדונים חברתיים
Social Clubs

הספריה וחדר־הקריאה של מועדון אלמאניה.
סינסינטי, שלהי המאה ה-19.

The library and reading room of the Allemania Club,
Cincinnati, late 19th century.
(Courtesy of the Cincinnati Historical Society)

קבוצת מרימי משקולות ואתלטים של ״י.מ.ה.א.״ (האגודה העברית של גברים צעירים),
סן פראנסיסקו, 1902.
Weight lifters and other athletes of the YMHA, San Francisco, 1902.
(Courtesy of the Western Jewish History Center, Judah L. Magnes Museum, Berkeley)

נשים ששימשו נשיאות של סניף ״המועצה הלאומית של נשים יהודיות״
בפורטלאנד, אורגון, 1900 בערך.
Presidents, past and present, of the Portland branch of the National Council
of Jewish Women, Oregon, c1900.
(Courtesy of the Oregon Historical Society and the Jewish Historical Society)

B. & G. MOSES, Photographers, N. O.

CONVENTION

INDEPENDENT ORDER OF B'NAI B'RITH

DISTRICT GRAND LODGE NUMBER SEVEN,

HELD IN NEW ORLEANS, MAY, 1878.

ארגונים מסוג חדש
Organizations of a New Kind

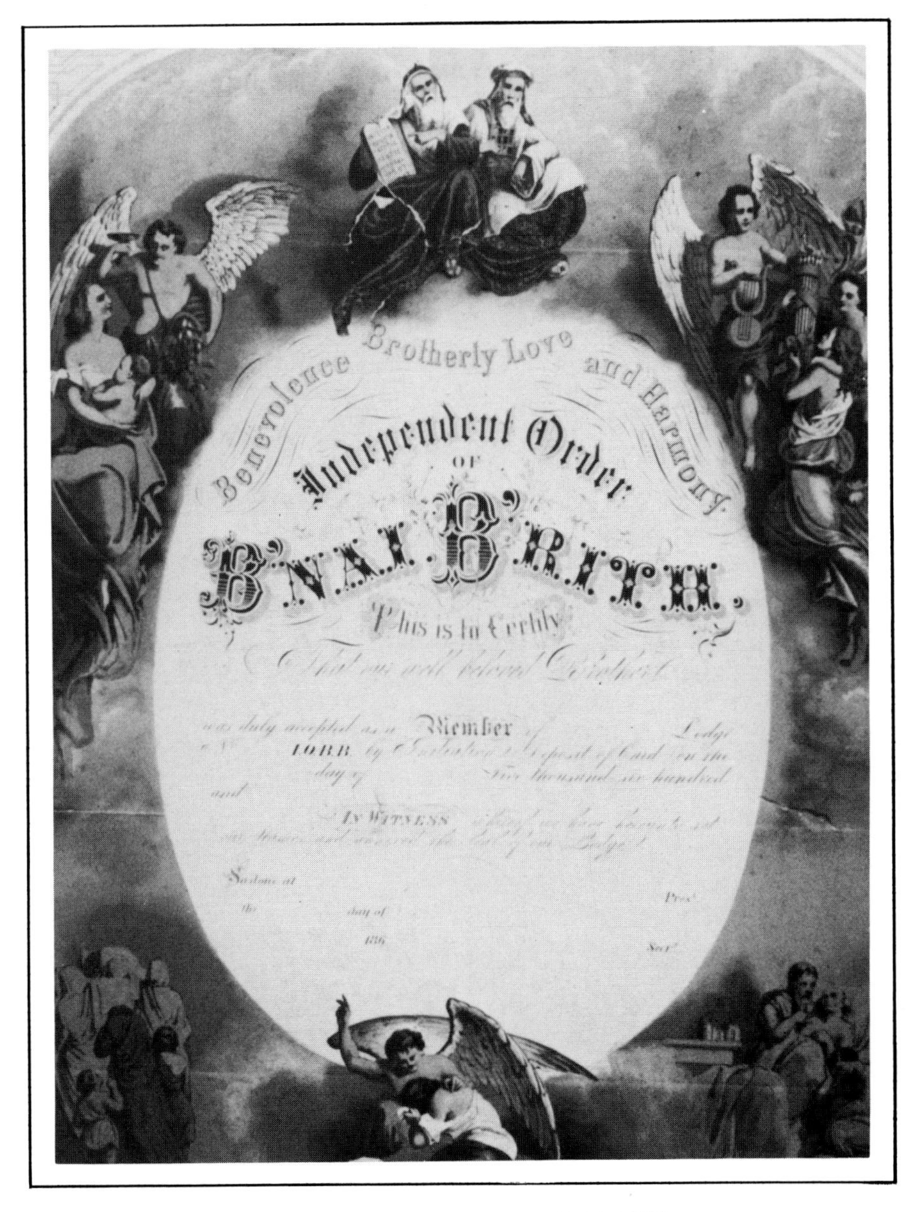

למעלה: כרטיס חבר במסדר "בני ברית", שנות ה-1860.
"בני ברית", המסדר היהודי הראשון והגדול ביותר, נוסד בניו-יורק על ידי סוחרים ובעלי מלאכה, שלא התקבלו כחברים במסדרי-אחווה נוצריים.
בעמוד ממול: פגישת חברי לשכת "בני ברית", ניו-אורלינס, 1878.

On the opposite page: Lodge meeting of B'nai B'rith, New Orleans, 1878.
(Courtesy of the B'nai B'rith Museum, Washington, D.C.)
Above: Membership certificate of B'nai B'rith, 1860s. B'nai B'rith, the world's oldest and largest Jewish service organization, was founded by New York shopkeepers and artisans who were denied membership in Christian dominated fraternal organizations.
(Courtesy of the American Jewish Archives, Cincinnati)

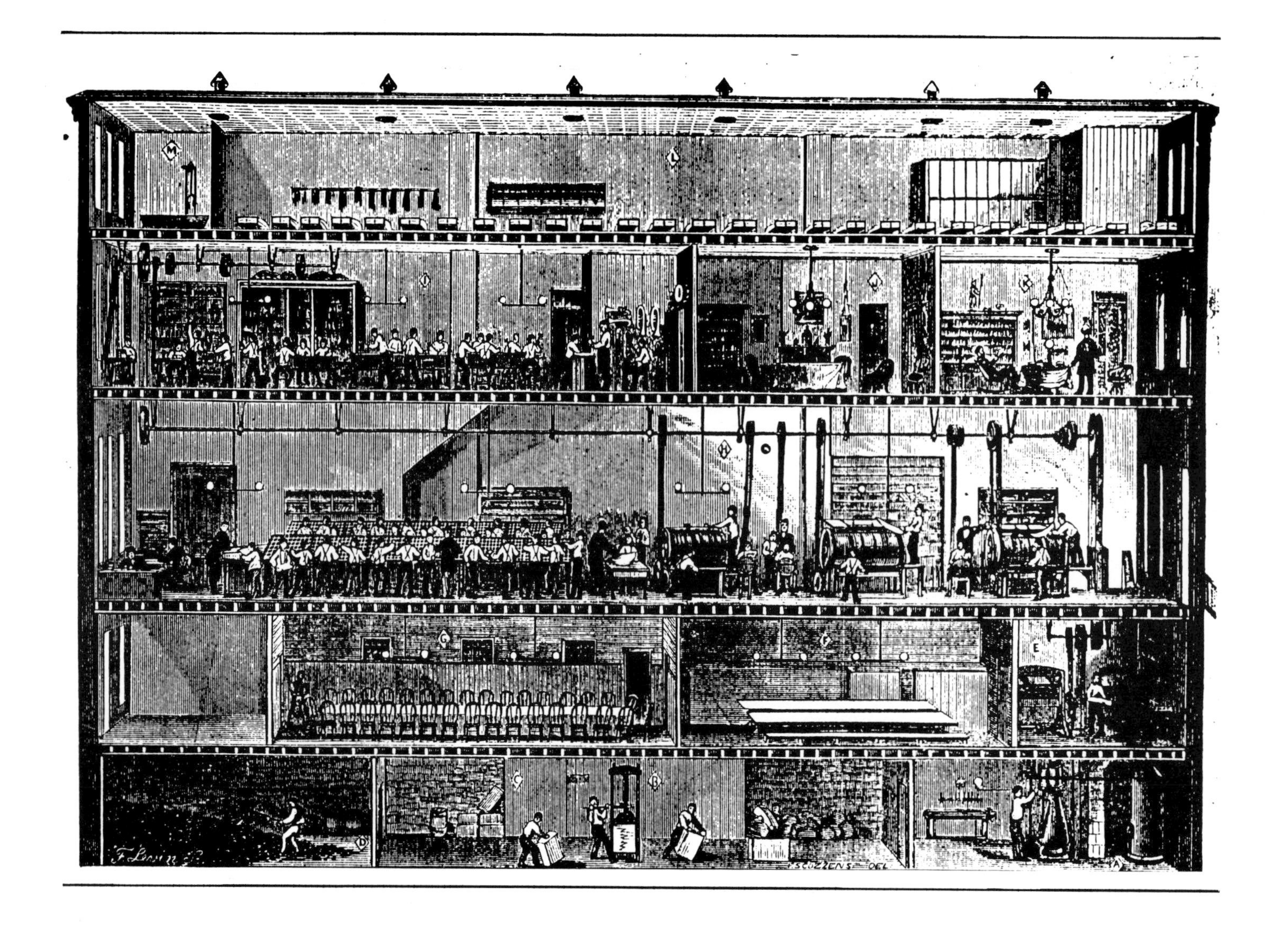

״בית הספר התעשייתי״, בית ספר למקצועות הדפוס,
שנוסד על ידי ״בית היתומים היהודי״.
איור מתוך ה״פורים גאזט״, ניו-יורק, 1881.

The Industrial School, trade school for printing
established by the Hebrew Orphan Asylum.
Illustration from "The Purim Gazette", New York, 1881.
(Courtesy of the National Museum of American Jewish History, Philadelphia)

"זכור את אחיך"
"Remember the Poor"

נשף צדקה שנערך בפורים באקדמיה למוסיקה, ניו-יורק, 1865.
מתוך ה"עיתון המאוייר של פראנק לסלי".

Purim Charity Ball at the Academy of Music, New York, 1865.
From Frank Leslie's Illustrated Newspaper.
(Courtesy of the American Jewish Historical Society, Waltham, Mass.)

מימין: בית הכנסת הרפורמי ברחוב ויין, נאשוויל, טנסי, 1901.
בית הכנסת נחנך ב-1876, והיה בשימוש עד 1955.
משמאל: "טמפל עמנואל", בית הכנסת הרפורמי החשוב ביותר בניו-יורק, נחנך ב-1868.
איור מתוך "הארפר'ס וויקלי", 14 בנובמבר, 1868.

Right: The Vine Street Temple, Nashville, Tennessee, 1901.
The Temple, dedicated in 1876, was used until 1955.
(Courtesy of the Jewish Federation Archives of Nashville, Tenn.)
Left: Temple Emanu-El, the foremost Reform Temple in New York, dedicated in 1868.
Illustration from Harper's Weekly, November 14, 1868.
(Courtesy of the Library of Congress, Washington, D.C.)

יום כיפור בבית כנסת רפורמי בניו-יורק: נשים וגברים מתפללים ביחד.
איור מ-1871.

Day of Atonement (Yom Kippur) at a Reform New York synagogue: men and women are praying together. Illustration from 1871. (Courtesy of the American Jewish Archives, Cincinnati)

ארון הקבורה של אדוארד לאסקר, שהוצב בבית הכנסת "טמפל עמנואל", 1884.
ד"ר לאסקר, פוליטיקאי גרמני, נפטר בעת ביקור בניו-יורק.

The funeral bier of Edward Lasker, lying in state at the Reform Temple Emanu-El in New York.
Dr. Lasker, a German politician, died during a visit to New York in 1884.
(Courtesy of the American Jewish Historical Society, Waltham, Mass.)

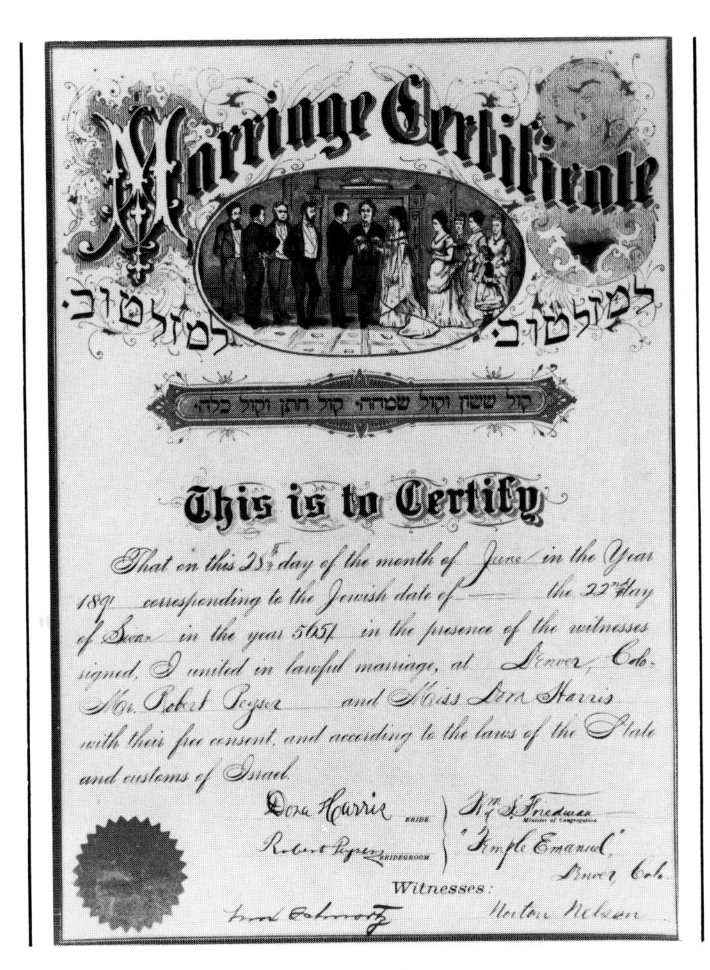

Marriage Certificate

למזל טוב · למזל טוב

קול ששון וקול שמחה· קול חתן וקול כלה·

This is to Certify

That on this 25th day of the month of June in the Year 1891 corresponding to the Jewish date of —— the 22nd day of Sivan in the year 5651 in the presence of the witnesses signed, I united in lawful marriage, at Denver, Colo. Mr. Robert Peyser and Miss Dora Harris with their free consent, and according to the laws of the State and customs of Israel.

Dora Harris BRIDE

Robert Peyser BRIDEGROOM

Wm. S. Friedman Minister of Congregation

"Temple Emanuel," Denver, Colo.

Witnesses:

Norton Nelson

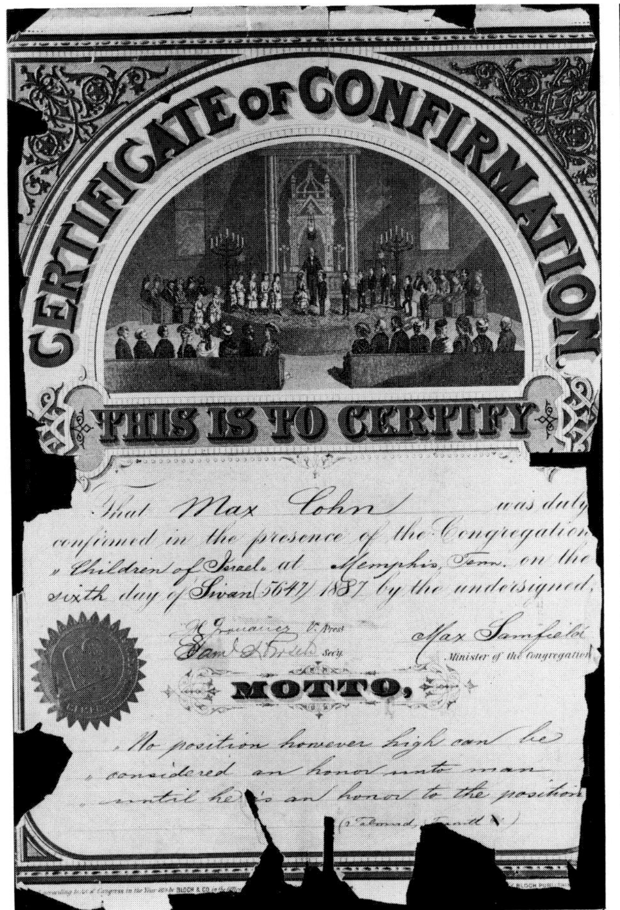

CERTIFICATE OF CONFIRMATION.

THIS IS TO CERTIFY

That Max Cohn was duly confirmed in the presence of the Congregation "Children of Israel" at Memphis, Tenn. on the sixth day of Sivan (5647) 1887 by the undersigned.

V. Prest

Secy.

Max Samfield
Minister of the Congregation

MOTTO,

"No position however high can be considered an honor unto man until he is an honor to the position."

מימין: תעודת "קונפירמיישן" (הכנסה בברית הדת) של מקס כהן.
הטקס הוא מעין בר־מצוה שנערך לבנים ולבנות כאחד. ממפיס, טנסי, 1887.
משמאל: תעודת נישואין רפורמית, כתובה באנגלית.
דנוור, קולוראדו, 25 ביוני, 1891.

Right: Confirmation (a Reform Bar Mitzvah) certificate given to Max Cohn of Memphis, Tennessee, 1887.
This ceremony was held for both boys and girls.
(Courtesy of the Jewish Federation Archives of Nashville, Tenn.)
Left: A Reform marriage certificate. Denver, Colorado, 25 June 1891.
(Courtesy of Rocky Mountain Jewish Historical Society,
Beck Archives Center for Judaic Studies, University of Denver)

בניין ה״היברו יוניון קולג׳״ בסינסינטי,
שנוסד על ידי הרב א.מ. וייז ב-1875 כדי להכשיר רבנים רפורמים.

The Hebrew Union College in Cincinnati, founded by Rabbi I.M. Wise,
in 1875, to train Reform rabbis.
(Courtesy of the American Jewish Archives, Cincinnati)

הרפורמה בדת
The Reform Movement

THE ISRAELITE.

A weekly Periodical devoted to the Religion, History and Literature of the Israelites.

PUBLISHED BY CHAS. F. SCHMIDT & CO.

יהי אור
LET THERE BE LIGHT

EDITED BY ISAAC MAYER WISE.

Vol. I. Cincinnati, O., July 21, 5614 A. M., 1854 A. C. No. 2.

THE CONVERT.

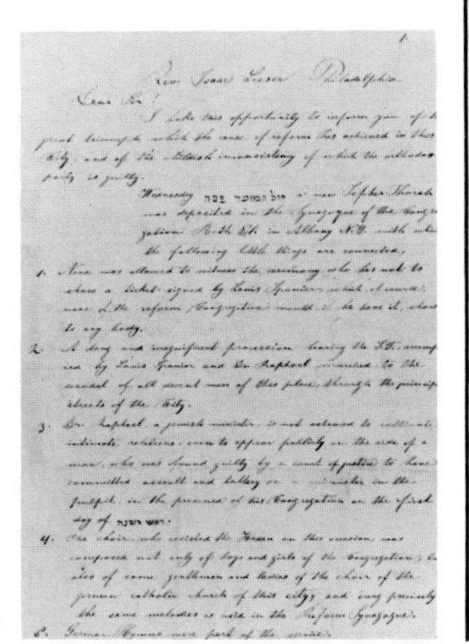

Rev. Isaac Leeser Philadelphia

Dear Sir!

למעלה מימין: הרב אייזאק ליסר (1868-1806), ממתנגדי תנועת הרפורמה. נחשב לאביו הרוחני של הזרם הקונסרבטיבי ביהדות.
למעלה משמאל: הרב אייזאק מאייר וייז (1900-1819), מחלוצי תנועת הרפורמה ביהדות.
הרב וייז היה ממייסדי "איגוד הקהילות הרפורמיות באמריקה", ב-1873, ומייסד ה"היברו יוניון קולג'", הסמינר לרבנים הראשון באמריקה, ב-1875. הדפס מ-1854.
למטה מימין: מכתב מהרב וייז לרב ליסר, במסגרת הויכוח ביניהם על הרפורמה בדת, בולטימור, 1848.
למטה משמאל: הגיליון הראשון של עיתונו של הרב א.מ. וייז "דה איזראלייט",
שבועון רב-תפוצה שמילא תפקיד חשוב בהפצת רעיון הרפורמה, סינסינטי, 21 ביולי, 1854. העיתון יוצא לאור גם כיום.

Above right: Rabbi Isaac Leeser (1806-1868), a traditionalist who opposed reform; he is considered the spiritual father of Conservative Judaism. (Courtesy of the American Jewish Historical Society, Waltham, Mass).

Above left: Rabbi Isaac Mayer Wise (1819-1900), a pioneer of Reform Judaism. Rabbi Wise was instrumental in founding the Union of American Reform Congregations, in 1873, and the Hebrew Union College, America's first rabbinical seminary, in 1875. Lithograph from 1854. (Courtesy of the American Jewish Archives, Cincinnati)

Below right: Letter from Rabbi I.M. Wise to Rabbi Leeser, regarding their debate on reforms in Judaism in America, Baltimore, 1848. (Courtesy of the American Jewish Historical Society, Waltham, Mass.)

Below left: The first issue of "The Israelite", a widely read weekly newspaper published by Rabbi I.M. Wise, which propagated Reform Judaism. Cincinnati, July 21, 1854. The newspaper is still published today. (Courtesy of the American Jewish Archives, Cincinnati)

CONSECRATION OF THE NEW JEWISH SYNAGOGUE THE "GATES OF ISRAEL," IN WEST NINETEENTH STREET, NEAR FIFTH AVENUE, ON WEDNESDAY,

חנוכת הבניין החדש של בית הכנסת ״שארית ישראל״ של הקהילה הספרדית, ברחוב 19, ניו-יורק, 1860.
במשך כל שנות קיומה, היתה ״שארית ישראל״ קהילה אורתודוכסית.
מתוך ״העיתון המאוייר של פראנק לסלי״.

Dedication of the new synagogue of "Shearith Israel", the Spanish and Portuguese Congregation, on 19th Street, New York, 1860.
Throughout its long history, Shearith Israel has upheld traditional Orthodox practices.
From Frank Leslie's Illustrated Newspaper.
(Courtesy of the American Jewish Historical Society, Waltham, Mass.)

חיי הקהילה
Community Life

of separation was broken away. A Jew was no longer distinguishable from a Christian by his speech.

The death of Mendelssohn, in 1786, did not clog the wheels of reform, and the gradual improvement in the condition of the Jews in France and England had its effect upon the German contingent. The first reformed synagogue in Germany was opened in Berlin in 1814. In 1819, another was founded in Hamburg. Then came the revolution of 1848 and its attendant changes, and the hard-fought fight was in a measure won. The Jew had taken his place in the world, and was following his advantage to its natural and just end.

Nevertheless, the condition of the lower order of Jews in the German Empire, and the border countries, is still a most deplorable one. Bigotry and ignorance past all belief rule in the Jewish quarters today, for the lower order of Hebrews herd together yet after the old fashion. They are the toy of the extremist Rabbis, and have nothing in common with the enlightened German and Portuguese Jews, much less the adherents of the reformed tenets, other than a common basis of faith. When they emigrate, it is only to repeat in other countries the life they led in their own, and in such districts as they colonize in New York and other large cities of the Occident, the grimed experiences of the squalid homes they have left behind them are repeated after the fashion which has rendered such districts as Baxter and Bayard Streets what they are.

According to the latest and most reliable census of the race, there are now not less than 7,868,447 Jews in the world, and the actual number is estimated to exceed 8,000,000. There are 5,500,000 of them in Europe, three-fifths of the number in Russia-Poland and Austria-Hungary alone. The child of Israel has not reached the end of his long journey yet. We find twenty-five of his kind among the ice-fields and tempest-splintered peaks of wintry Norway, and a quarter of a million followers of the covenant are scattered in the sun-smitten, fever-cursed fastnesses of Abyssinia. They people the hot sands of Arabia, and exist among the red plains and oven-like cities of the North African coast. Seven thousand of them have found rest under the Oceanican palms. In America, there are 514,000, half a million of whom are residents of the United States.

Such is a rapid *résumé* of the gradual progress and present condition of Judaism in Europe. The average Jew today, the Jew of the middle and higher classes, enjoys the freedom due to all men, thanks to the reforms so briefly noted.

And it is to America, or, rather, to the United States, that the existence of these reforms is mainly due, since it was in the American Colonies that the doctrine of equal rights for Jew and Gentile was first propounded and made the basis of a public policy. It was the example of America which led, by slow degrees, but surely, to the amelioration and improvement in the condition of the European branch of the Hebrew race.

The first settlement of Jews in the City of New York, and within the limits of the present United States, was, it is supposed, made during the year 5410 of the Hebrew calendar, or 1650 of ours. The earliest known records of the event are copies of a petition of Salvador d'Andrade, under date of December the 17th, 1655, to the director-general and council of the New Netherlands, and of a remonstrance signed by Abraham de Lucena and others, dated March 10th, 1656. In volume I. of the "Documentary History of the State of New York," Governor Andros has a letter replying to certain inquiries about New York, made in 1678, in which he includes Jews among the inhabitants, and in volume III. of the same work, mention is made of the Rev. Abraham de Lucena applying, as a Jewish minister, to Governor Hunter in 1710, for exemption from military and civil duties,

THE FEAST OF THE ATONEMENT IN A SYNAGOGUE.

Vol. IV.—No. 2. AUGUST, 1877. $2.50 PER ANNUM.

THE JEWS IN AMERICA.

By Alfred Trumble.

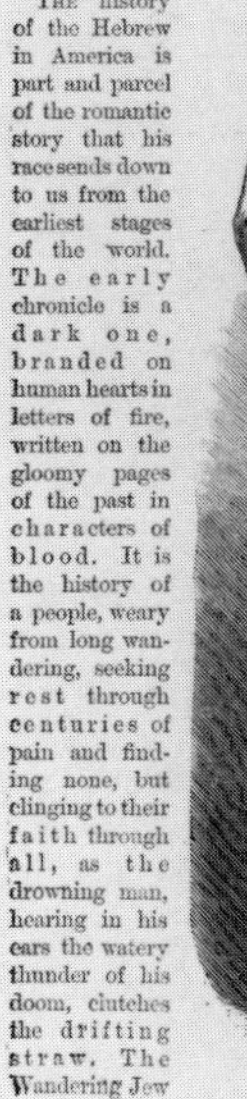

The history of the Hebrew in America is part and parcel of the romantic story that his race sends down to us from the earliest stages of the world. The early chronicle is a dark one, branded on human hearts in letters of fire, written on the gloomy pages of the past in characters of blood. It is the history of a people, weary from long wandering, seeking rest through centuries of pain and finding none, but clinging to their faith through all, as the drowning man, hearing in his ears the watery thunder of his doom, clutches the drifting straw. The Wandering Jew is a type of his race. From the time their temples fell before the Roman sword and firebrand they have been nomads—Parlahs of a Christian world.

Time was—at a time, too, when all the Christian world was engaged in a holy war for the recovery of the very city where their desecrated temples stood in ruins—when in all Europe the Jew's only refuge was in especial quarters of some German and Italian cities, marked by degrading symbols of their caste, and even then so little secure that any man's hand might be raised against their property or lives without

A BAR MITVA SERVICE—A YOUNG ISRAELITE'S PROFESSION OF FAITH.

מימין: טקס בר־מצוה.
איור מתוך "הירחון הפופולארי של פראנק לסלי", ניו-יורק, 1877.
משמאל: תפילת יום כיפור בבית כנסת בניו-יורק.
איור מתוך "הירחון הפופולארי של פראנק לסלי", ניו-יורק, שנות ה-1880.

Right: Bar Mitzvah ceremony. Illustration from Frank Leslie's Popular Monthly, New York, 1877.
(Courtesy of the American Jewish Historical Society, Waltham, Mass.)
Left: Day of Atonement service at a New York synagogue.
Illustration from Frank Leslie's Popular Monthly, New York, 1880s.
(Courtesy of the American Jewish Historical Society, Waltham, Mass.)

בעמוד ממול:
חיילים יהודים מצבא הצפון
בחברת נערות יהודיות דרומיות.
מחוז דאוארטי, ג׳ורג׳יה, 1865 בערך.
משמאל:
כרזת פרסומת לטבק ״לאב״ (אהבה)
של חברת האחים מאיירס ושות׳,
ריצ׳מונד, וירג׳יניה, 1865 בערך.
בהשראת השלום שלאחר סיום מלחמת האזרחים,
מציע חייל מצבא הדרום
חבילת טבק לחייל מצבא הצפון.

Left: Jewish Union soldiers
with Southern Jewish girls.
Dougherty County, Georgia, c1865.
(Courtesy of Dr. Louis Schmier,
Valdosta State College, Ga.)
On the opposite page:
Advertisement for "Love" tobacco
of the Myers Bro's & Co.
of Richmond, Virginia, c1865.
Inspired by the peace treaty
between the armies,
a Confederate soldier
offers a package of tobacco
to a Union soldier.
(Courtesy of
New York Historical Society)

למעלה מימין: ג'וליוס אוקס, קצין בצבא מדינות הצפון, 1861. גיסו, אוסקר לוי, שירת בצבא מדינות הדרום.
למעלה משמאל: קפטן אוסקר ס. לוי, קצין חיל הקשר בצבא מדינות הדרום, גיסו של ג'וליוס אוקס, 1864 בערך.
למטה מימין: גנרל אדוארד סלומון, מגיבורי קרב גטיסברג, 1863.
למטה משמאל: ד"ר ג'ייקוב דה סילבה סוליס-כהן, רופא בצי מדינות הצפון, פילדלפיה, 1862 בערך.

Above right: Julius Ochs, Union Army officer, 1861. His brother-in-law, Oscar Levy, served in the Confederate Army.
Above left: Captain Oscar S. Levy, Signal Corps Officer of the Confederate Army, brother-in-law of Julius Ochs, c1864.
(Courtesy of the American Jewish Archives, Cincinnati)
Below right: General Edward Salomon, a hero of the Gettysburg Battle, 1863.
(Courtesy of the American Jewish Archives, Cincinnati)
Below left: Dr. Jacob da Silva Solis-Cohen, Acting Fleet Surgeon of the Union Forces, Philadelphia, c1862.
(Courtesy of the American Jewish Archives, Cincinnati)

קרב גטיסברג, יולי 1863.
הקרב, שהסתיים בנצחון מדינות הצפון, היה נקודת מפנה חשובה במלחמה.

The Battle of Gettysburg, July 1863.
The battle, which was won by the Union Army, was one of the crucial turning points of the war.
(Courtesy of the Library of Congress, Washington, D.C.)

מימין: דייויד לוי יולי (1810-1866), בעל-מטעים ומדינאי מפלורידה.
היה פעיל בתנועה נגד ביטול העבדות, וחבר הקונגרס של הקונפדרציה של מדינות הדרום.
משמאל: ארנסטין רוז (1810-1892),
לוחמת לתיקונים חברתיים ופעילה בתנועה לביטול העבדות. ניו-יורק, 1860 בערך.

Right: David Levy Yulee (1810-1866) of Florida. Plantation owner and politician; a prominent anti-abolitionist and Confederate Congressman.
(Courtesy of the National Archives, Washington, D.C.)
Left: Ernestine Rose (1810-1892), social reformer and prominent abolitionist, New York, c1860.
(Courtesy of the Schlesinger Library, Radcliffe College, Cambridge, Mass.)

מלחמת האזרחים
The Civil War

THE UNION
IT MUST AND SHALL BE PRESERVED.

Rally 'round the Flag, boys
Rally once again!!!

FOR PRESIDENT OF THE UNITED STATES
ABRAHM LINCOLN

My paramount object is to save the Union, and not either to save or destroy Slavery. What I do about Slavery and the colored race, I do because I believe it helps to save this Union, and what I forbear, I forbear because I do not believe it would help to save the Union.

FOR VICE-PRESIDENT OF THE UNITED STATES
ANDREW JOHNSON

WHILE THE REBELS CONTINUE TO WAGE WAR A AINST THE GOVERNMENT OF THE UNITED STATES,
THE MILITARY MEASURES AFFECTING SLAVERY, WHICH HAVE BEEN ADOPTED FROM NECESSITY to bring
the war to a speedy and successful end, will be continued, except so far as practical experience shall show that
they can be modified advantageously, with a view to the same end. WHEN THE INSURGENTS SHALL HAVE DIS-
BANDED THEIR ARMIES, AND LAID DOWN THEIR ARMS, THE WAR WILL INSTANTLY CEASE, and all the war
measures then existing, including those which affect Slavery, will cease also, and all moral, economical and political
questions, as well as questions affecting Slavery as others which shall then be existing between individuals and
States and the Federal Government, whether they arose before the Civil War began, or whether they grew out
it will, by force of the Constitution, pass over to the arbitrament of courts of law, and to the councils of legislation.

FOR GOVERNOR
REUBEN E. FENTON

FOR LIEUTENANT GOVERNOR
THOMAS G. ALVORD

FOR CANAL COMMISSIONER
FRANKLIN A. ALBERGER

FOR STATE PRISON INSPECTOR
DAVID P. FORREST

GEORGE F. NESBITT & CO., PRINTERS, CORNER PEARL AND PINE STREETS, N.Y.

"האיחוד חייב להישמר, ויישמר",
כרזה ששימשה במסע הבחירות לנשיאות
של אברהם לינקולן, 1860.

Broadside used in Abraham Lincoln's
presidential campaign, 1860.
(Courtesy of the New York Historical Society)

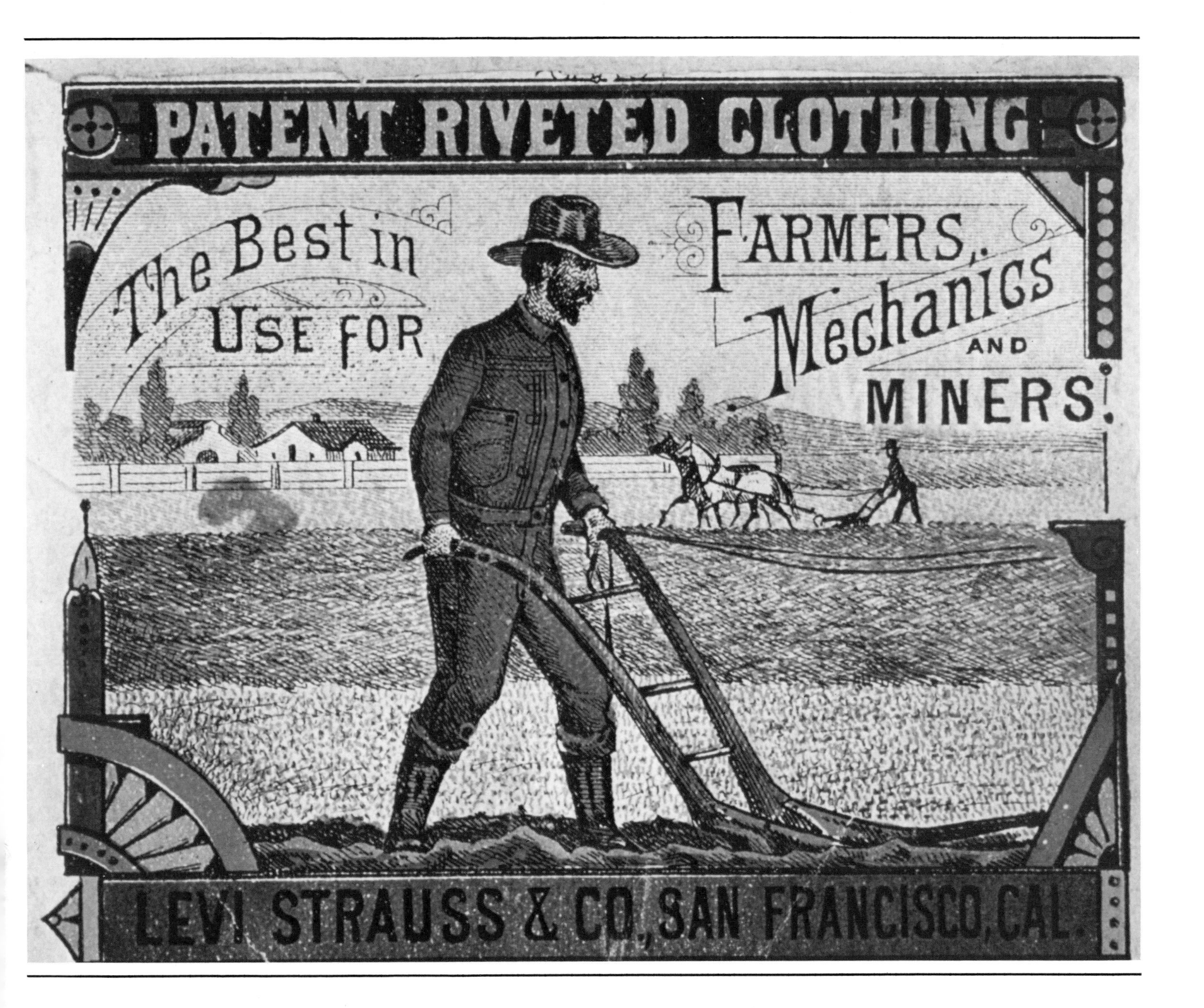

למעלה: מודעת פרסומת לסרבלים מתוצרת חברת לוי שטראוס מסן פראנסיסקו, אחרי 1875.
בעמוד ממול: פיקניק במונטאנה, 1890 בערך.

On the opposite page: Picnic in Montana, c1890.
(Courtesy of the Montana Historical Society, Helena)
Above: Advertisement for overalls manufactured by the Levi Strauss & Co. of San Francisco, after 1875.
(Courtesy of Levi Strauss & Co., San Francisco)

A. ZELLERBACH & SONS
WHOLESALE
PAPER DEALERS
AND
TATIONERS.
ACH & SONS

למעלה: כרכרה של "חברת הכרכרות של פסקאדרו וסן מתיאו" של האחים לוי,
קליפורניה, 1880 בערך.
בעמוד ממול: כרכרת הובלה של א. זלרבאך ובניו, יצרני נייר, סן פראנסיסקו, 1887 בערך.
החברה "קראון זלדבאך" היא כיום יצרנית הנייר השניה בגודלה בעולם.

On the opposite page: Delivery wagon of A. Zellerbach & Sons, paper manufacturers, San Francisco, c1887.
The Crown Zellerbach Corporation which has evolved, is the world's second largest pulp and paper concern.
(Courtesy of the Crown Zellerbach Corporation, San Francisco)
Above: Stagecoach of the Levy Brothers' Pescadero & San Mateo Stage Co. California, c1880.
(Courtesy of the San Mateo County Historical Museum, Calif.)

בית המסחר של מייקל גולדווטר, פרסקוט, אריזונה, 1879.

Michael Goldwater's general store, Prescott, Arizona, 1879.
(Courtesy of the Arizona Historical Foundation, Hayden Library, Arizona State University)

חנות העיתונים הראשונה בטוסון, אריזונה, בבעלות ג'.ס. מאנספלד,
1875 בערך.

"Pioneer News Depot of Arizona", owned by J.S. Mansfeld,
Tucson, Arizona, c1875.
(Courtesy of the Arizona Historical Society, Tucson)

למעלה משמאל: צ׳ארלס שטראוס (משמאל), שהיה לראש העיר של טוסון, אריזונה, ב-1883. תצלום מ-1880 בערך.
למעלה מימין: גרטרוד שטראוס, רעייתו של צ׳ארלס, בכרזת פרסומת לתנורים. טוסון, אריזונה, 1880 בערך.
בעמוד ממול: מאקס שטיין, שוטר-פרש בפואבלו, קולוראדו, 1900 בערך.

On the opposite page: Max Stein, a mounted policeman, Pueblo, Colorado, c1900.
Above left: Charles Strauss (left), who became the mayor of Tucson in 1883. Photograph from c1880.
(Courtesy of the Arizona Historical Society, Tucson)
Above right: Gertrude Strauss, Charles' wife, in an advertisement for stoves, Tucson, Arizona, c1880.
(Courtesy of the Arizona Historical Society, Tucson)

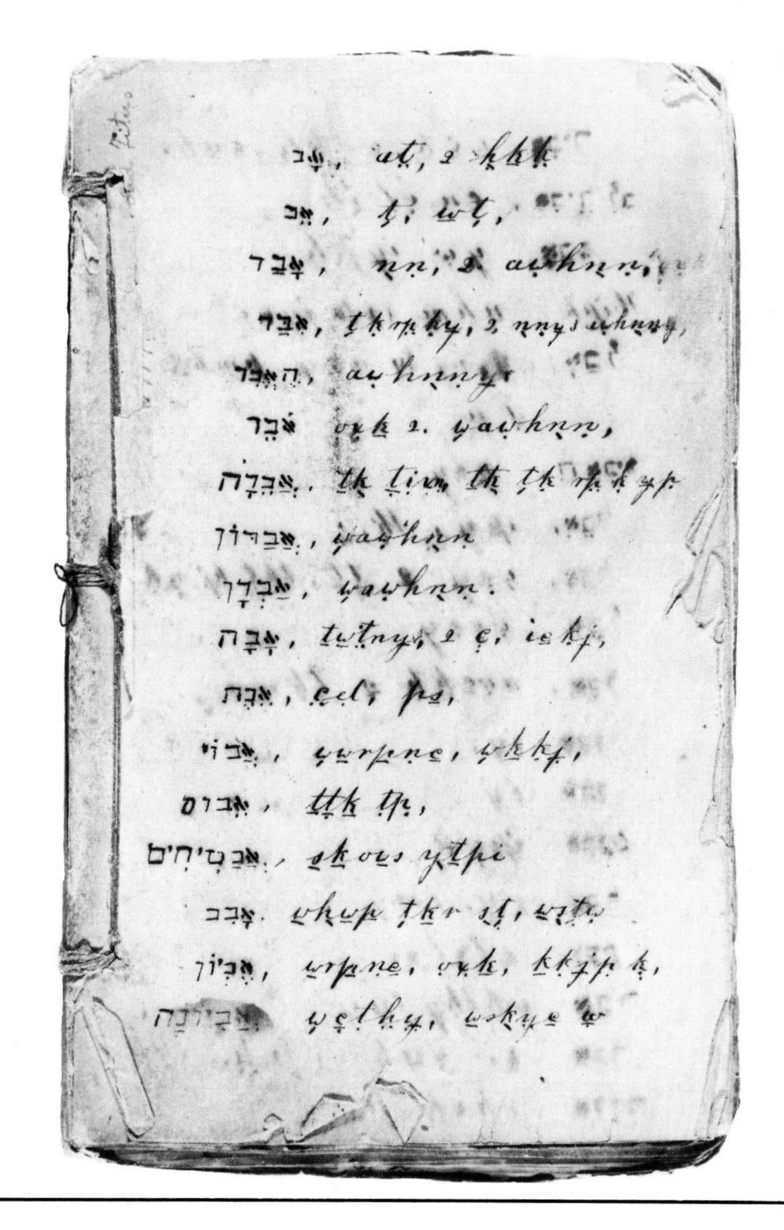

בעמוד ממול: הסוחר ג'וליוס מאייר (למעלה משמאל) בחברת צ'יפים אינדיאניים. נבראסקה, 1879.
בכיוון השעון: ענן אדום, זנב מנומר, דב מהיר ושור רובץ. מאייר שלט בכמה ניבים אינדיאנים.
למעלה: עמוד ראשון של כתב היד של מילון עברי-דאקוטי (ניב אינדיאני). איזור מינסוטה-דאקוטה, 1842.
במילון מופיע הפירוש האינדיאני למילים כמו "אבטיח" ו"אבידה". הוא נערך על ידי סמואל וו. פונד, מיסיונר נוצרי, שניסה, באמצעות השוואה בין שתי השפות, לקשר את מוצאם של האינדיאנים ל"עשרת השבטים האבודים".

Above: First page of a hand-written Hebrew-Dakota Vocabulary, Minnesota-Dakota Region, 1842.
The vocabulary gives the Indian for words such as "watermelon" and "loss".
It was compiled by Samuel W. Pond, a Christian missionary, who tried to explain the origin of the native American Indians in the tradition of the Ten Lost Tribes theory, through a linguistic connection.
(Courtesy of the Minnesota Historical Society)
On the opposite page: The merchant Julius Meyer (top left) with Indian chiefs in Nebraska, 1879.
Clockwise: Red Cloud, Spotted Tail, Swift Bear and Sitting Bull. Meyer spoke several Indian dialects.
(Courtesy of the Nebraska State Historical Society, Lincoln)

רחוב ובו שלטים של חנויות השייכות ליהודים: האריס את ג׳אקובי, קרמר, לאזארד.
לוס אנג׳לס, 1870 בערך.
באותה תקופה היתה קהילה יהודית קטנה בלוס אנג׳לס.

Street with the signs of Jewish owned shops: Harris & Jacoby, Kremer, and Lazard.
Los Angeles, California, c1870.
At the time there was a tiny Jewish congregation in Los Angeles.
(Courtesy of Los Angeles Public Library, Security Pacific National Bank Photograph Collection)

מימין: רוכל-נודד על נהר המיסיסיפי.
איור מתוך השבועון ״הארפר׳ס וויקלי״, 1871.
משמאל: מאדג׳ גולדברג עם ה״מאמי״ (האומנת השחורה) שלה.
קולומבוס, ג׳ורג׳יה, 1902.

Right: Mississippi River peddler.
Illustration from Harper's Weekly, 1871.
Left: Madge Goldberg with her mammy. Columbus, Georgia, 1902.
(Courtesy of Janice Rothschild Blumberg, Washington, D.C.)

מדינות הדרום
Down South

NEGROES, NEGROES.

The undersigned has just arrived in Lumpkin from Virginia, with a likely lot of negroes, about 40 in number, embracing every shade and variety. He has seamstresses, chamber maids, field hands, and doubts not that he is able to fill the bill of any who may want to buy. He has sold over two hundred negroes in this section, mostly in this county, and flatters himself that he has so far given satisfaction to his purchasers. Being a regular trader to this market he has nothing to gain by misrepresentation, and will, therefore, warrant every negro sold to come up to the bill, squarely and completely. Give him a call at his Mart.

J. F. MOSES.

Lumpkin, Ga., Nov. 14th, 1859.

מימין: מוזס נתן אשור, בעל מטעים מלואיזיאנה, ובנו בן־התערובת.
ציור מאת ז׳ול ליאון, ראשית המאה ה־19.
משמאל: ״כושים, כושים״ מודעה על מכירת עבדים על ידי ג׳. פ. מוזס. למפקין, ג׳ורג׳יה, 1859.

Right: Moses Nathan Ashur, a Louisiana plantation owner, with his mulatto son.
Painting by Jules Lion, early 19th century.
(Courtesy of the American Jewish Historical Society, Waltham, Mass.)
Left: Announcement for the sale of slaves by J.F. Moses.
Lumpkin, Georgia, 1859.

הדפס שהוציאה חברת א.מ. לאזארוס ושות׳ ב־1880 לרגל יובל ה־150 של העיר בולטימור.
בתמונה תיאור של כמה מעסקיה של החברה.

Lithograph, issued by E.M. Lazarus & Co. in 1880 to celebrate Baltimore's 150th anniversary.
The card depicts aspects of the Lazarus businesses.
(Courtesy of Congregation Beth Elohim, Charleston, S.C.)

מימין: עמוד השער של קטלוג החורף של בית הכלבו אברהם את שטראוס. ברוקלין, 1899.
בית הכלבו נוסד על ידי משפחת אברהם לאחר מלחמת האזרחים, וב־1893 הפכה משפחת שטראוס,
בעלת "מייסי'ס", לשותפה שווה בו. זהו עדיין אחד מבתי הכלבו הגדולים והידועים בניו־יורק.
משמאל: העטיפה של קטלוג האופנה של האחים בלומינגדייל, ניו־יורק, 1900 בערך.

Right: Cover of the Abraham and Straus winter catalogue, Brooklyn, 1899.
The store was established by the Abraham family after the Civil War, and in 1893 the Strauses of Macy's bought half of it.
It is still one of the largest and best-known department stores in New York City.
(Courtesy of the American Jewish Historical Society, Waltham, Mass.)
Left: Cover of Bloomingdale Bros. fashion catalogue, New York, c1900.
(Courtesy of the New-York Historical Society)

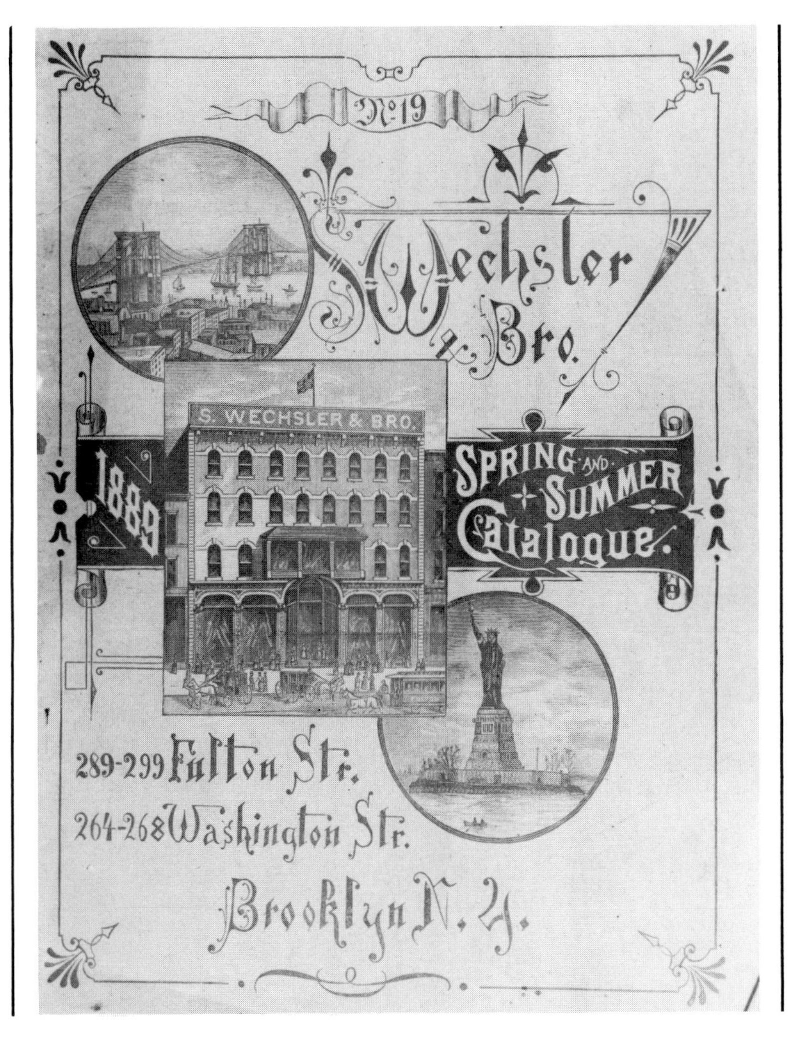

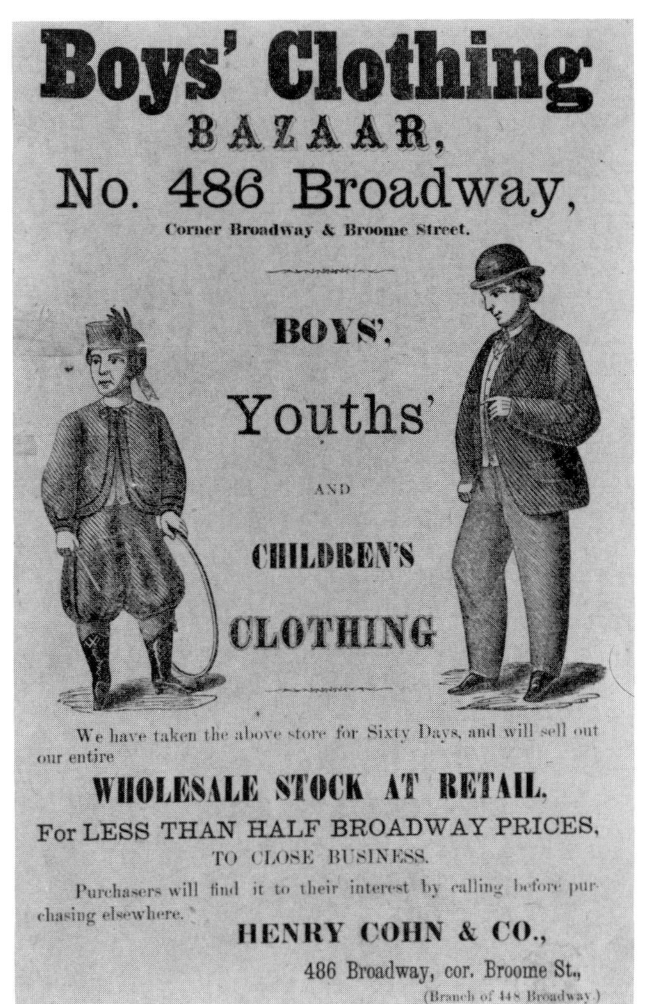

מימין: מודעת פרסומת לבאזאר לבגדי נערים, ניו־יורק, 1860 בערך.

משמאל: העטיפה של קטלוג אביב־קיץ של בית הכלבו האחים וקסלר, שהיה מהגדולים בברוקלין, ניו־יורק, 1889.

Right: Advertisement for "Boys' Clothing Bazaar", New York, c1860.
(Courtesy of the New-York Historical Society)

Left: Cover of the Wechsler & Bro. spring and summer catalogue, New York, 1889. Wechsler & Bro. was one of Brooklyn's largest department stores.
(Courtesy of the American Jewish Historical Society, Waltham, Mass.)

״נקניקיה עם כל משקה״ — שלט של מסבאה השייכת לטדסקי ושות׳, סינסינטי, שנות ה־1890.
יהודים מגרמניה נטו להתיישב במקומות שבהם היו ריכוזים של מהגרים גרמנים;
כך נוצרו איזורים שבהם שלטו השפה והתרבות הגרמנית.

"A Wienerwurst with each drink", sign of bar owned by Tedeschi and partner, Cincinnati, 1890s.
German Jews often settled near non-Jewish German immigrants,
thus creating large self-sufficient German-speaking areas.
(Courtesy of the Library of Congress, Washington, D.C.)

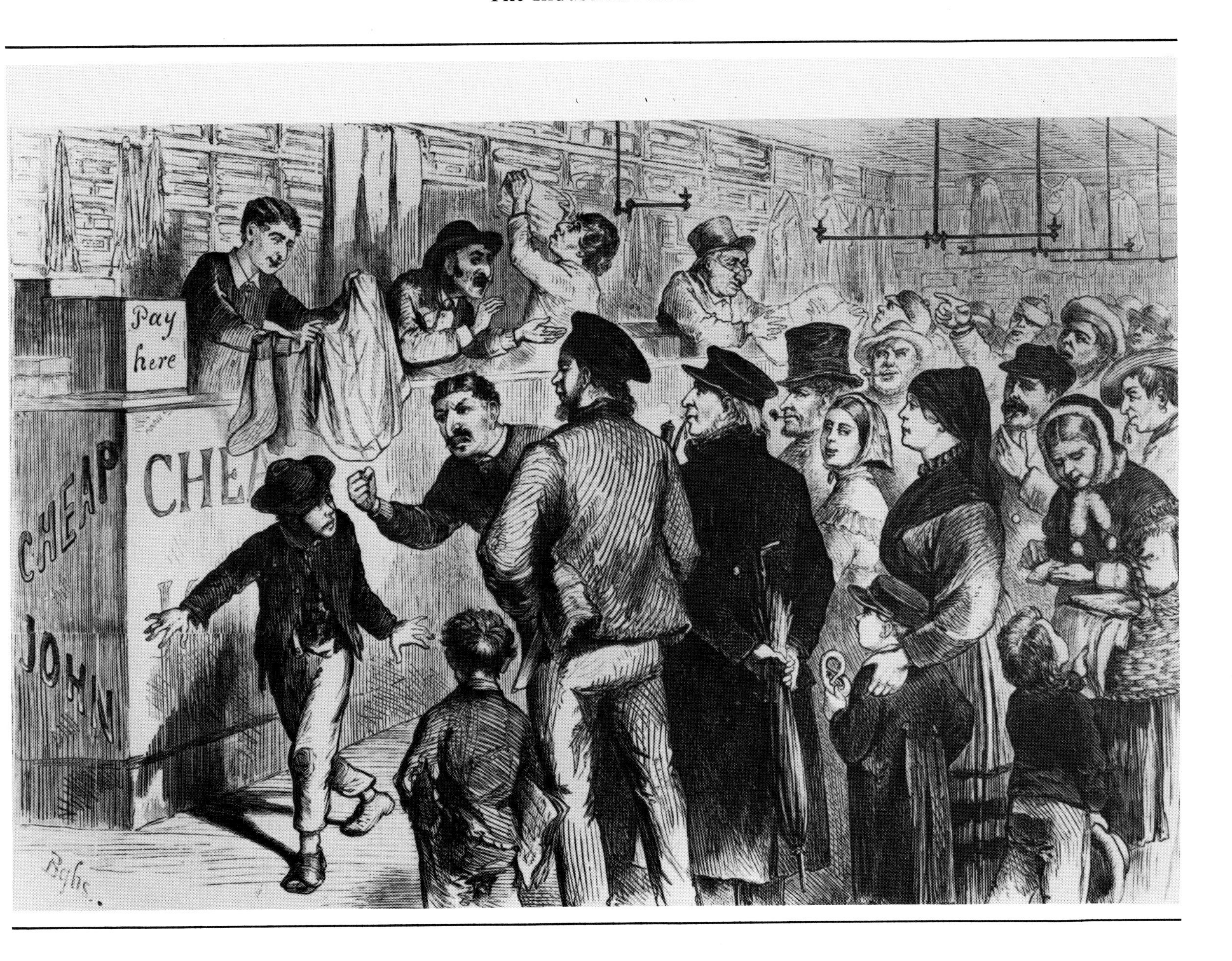

מכירה פומבית של בגדים זולים ברח' ציטהאם, ניו־יורק,
שבו היו מרוכזים בתי מסחר לבגדים בבעלות של יהודים.
איור מתוך "הארפר'ס וויקלי", 1872

Auction of cheap clothing in Chatham Street, the center of the Jewish clothing trade in New York.
Illustration from "Harper's Weekly", 1872.
(Courtesy of the Museum of the City of New York)

ERIE
ERIE EISENBAHN
EINWANDERER BEFÖRDERUNG
CASTLE GARDEN NACH DER ERIE EISENBAHN
CLEVELAND
CINCINNATI
LOUISVILLE
S. FRANCISCO
DETROIT
ST LOUIS
CHICAGO
RAILWAY EMIGRANT-TRANSFER
FROM CASTLE
TO ERIE
GARDEN
RAILWAY

המהגרים מגרמניה 1830-1880
The German Immigrants 1830-1880

למעלה: מהגרים עולים על סיפון אניה בהמבורג בדרכם לניו־יורק.
איור מתוך "הארפר'ס וויקלי", 7 בנובמבר, 1874.
בעמוד ממול: מהגרים מגיעים לקאסל גארדן, המרכז לקליטת מהגרים בניו־יורק. הסירה שליד הבניין העבירה אותם ל"רכבת אירי", בדרכם מערבה.
תחריט, אחרי 1855.

Above: Immigrants embarking on a ship in Hamburg for New York.
Illustration from "Harper's Weekly", November 7, 1874.
On the opposite page: Newly arrived immigrants at New York's Castle Garden Immigration Center.
The boat next to the building transfers them to the Erie Railway, on their way West. Engraving, after 1855.
(Courtesy of the National Museum of American Jewish History, Philadelphia)

תפלה

אנו ליה ועליה עינינו

ברוך ה׳ אשר טוב גמלנו ברחמיו וכרוב חסדיו
הגדיל לנו · וברוח פיו ברא שמים וארץ תבל
ויושביה · והוא המאיר לארץ ולדרים עליה ·
הוא ברא כל הנבראים · והוציא יש מאין כל
הנמצאים · מלך עולמים לו המלוכה וממליך
מלכים · הוא אשר נטע שלום בלב מלכים ושרים
ולהשיב חרב אל נדנה · אמר ה׳ שלום לרחוק ולקרוב
תודה לה׳ במקהלות על חסדיו אשר היטב עמנו · וצעקנו
אל ה׳ בצר לנו וממצוקותינו הוציאנו ואת הצר הרודף
יושבי הארץ הצליח מתוכו מלחמותינו ומידי זרים
ונכרים לנו השיבה נחלתינו · והחזרתנו משוש לבנו ;
ועתה באנו מלך רם על רמים לשפוך נפשנו לפניך ·
שמע אל תפלת בני בכוריך · עם סגולתך המוסרים
על שלש עשרה מדותיך · שאתם חוזרים ריקם מלפניך ·
אמונים בני מאמינים בשלש עשרה עקרי דתיך ;
כשם שחלקת מכבודך לדוד בן ישי · [illegible] שלמה
נתת חכמה מכל אדם · כן תחלק כבוד שכל
בינה ומדע לשפוט את העם לאדונינו שרי שלש עשרה
מדינות האלו · ובתוכם שר הצבא גוורנר קלינטן
עם יועציהם ושריהם הפרתמים הפחות והסגנים אשר
על מחנה יאי״ש על ראשו אשר שכנת המשרה על
שכמו · ינשא וירום הודו · והיה כזית רענן ופרח
כשושנת העמקים וכחבצלת השרון · והיה כעץ שתול
על פלגי מים אשר פריו יתן בעתו ועלהו לא יבול וכל אשר
יעשה יצליח · וכאשר בחסדם הגדולים מטיבים עמנו
ובצילם אנחנו יושבים שלוים ושקטים · כן תשלם להם
גמולם · ותן להם משאלות לבבם · ויטיבו עמנו עד
אחריתם · ותתנו לחן ולחסד בעיניהם · ובחותם על לבם
ישימונו · וכן יהי רצון ונאמר אמן ;
כשם שנתת כח לשמשון בן מנוח [illegible]
מגבורתו · כן תגבר ותחזק מגן ישועה לאדונינו
ראש ושר הצבא דשארדש וואשנגטן
משוח מלחמה בים ביבשה ומדינה עם כל חייליו
ברכבו ובפרשיו [illegible] ירבר עמים תחת רגליו ·
עד יפנו אליו עורף ולא פנים · יפלו ולא יוסיפו קום
והוא ירדוף אויביו וישיגם ולא ישוב עד כלותם
אנא ה׳ הושיעה נא · אנא ה׳ הצליחה נא · אך טוב
ומה נעים אם תחזק שלום בלב מלכים ושרים
כאשר נטעת · וכתתו חרבותם לאתים וחניתותיהם
למזמרות

למזמרות ולא ישא גוי אל גוי חרב ולא ילמדו עוד
מלחמה · ויקיים בנו מקרא שכתוב ונתתי שלום
בארץ ושכבתם ואין מחריד · שלום רב לאוהבי
תורתך ואין למו מכשול · יהי שלום בחילך שלוה
בארמנותיך · ותן בלבם רחמנות לעשות טובות
עמנו ועם כל ישראל · בזכות אהבת הקדמונים
כדכתיב וזכרתי את בריתי יעקב ואף את בריתי
יצחק ואף את בריתי אברהם אזכור והארץ אזכור ·
וכן יהי רצון ונאמר אמן ;
כשם שנתת שלש עשרה מדינות אמעריקא
האלו לחירות עולם · כן תוציאנו שנית
מעבדות לחירות · ותתקע בשופר גדול לחירותינו
כמה שנאמר והיה ביום ההוא יתקע בשופר גדול
ובאו האובדים בארץ אשור והנדחים בארץ
מצרים והשתחוו לה׳ בהר הקדש בירושלים ·
ויתנערו מעפר לשבח לאל · ליום נקם מהר
פדיוננו כי אתה הגואל · ואז נשיר שיר חדש
לה׳ אלקי ישראל · ושם נעבדהו ביראה כימי
עולם וכשנים קדמוניות · ויראנו נפלאות כימי
קדם · וישוב הקדוש ברוך הוא שכינתו
לציון וסדר העבודה לירושלים · ונזכה לחזות
בנועם ה׳ ולבקר בהיכלו · ויעלה לנו כהן צדק
והוא יוליכנו קוממיות לארצנו · ויהי נועם ה׳
עלינו · ובא לציון גואל בטהרה בימינו
וכן יהי רצון ונאמר אמן ;

מימין: תפילה לנצחון צבאו של גנרל ג׳ורג׳ וושינגטון ולשלום ארצות־הברית,
שנאמרה בבית הכנסת של קהילת ״שארית ישראל״, ניו־יורק, 1784.
משמאל: שפטל שפטל מג׳ורג׳יה במדי צבא המושבות, אותם נהג ללבוש עד יום מותו ב־1847.
שפטל ואביו, מרדכי, נשבו בידי הבריטים בקרב על סאבאנה ב־1779.
תמונת־צללית, שלהי המאה ה־18.

Right: Prayer for the victory of General George Washington's army and for the United States,
recited in the synagogue of the Shearith Israel Congregation, New York, 1784.
(Courtesy of the American Jewish Historical Society, Waltham, Mass.)
Left: Sheftall Sheftall of Georgia in the Revolutionary War uniform which he wore until his death in 1847.
Sheftall and his father Mordecai were both captured by the British in the Battle of Savannah, 1779.
Silhouette, late 18th century.

TO ALL BRAVE, HEALTHY, ABLE BODIED, AND WELL DISPOSED YOUNG MEN,

IN THIS NEIGHBOURHOOD, WHO HAVE ANY INCLINATION TO JOIN THE TROOPS, NOW RAISING UNDER

GENERAL WASHINGTON,

FOR THE DEFENCE OF THE

LIBERTIES AND INDEPENDENCE OF THE UNITED STATES,

Againſt the hoſtile deſigns of foreign enemies,

TAKE NOTICE,

THAT *Tuesday, Wednesday Thursday, Friday and Saturday at Spotswood in Middlesex* county, attendance will be given by *Lieutenant Reading* with his muſic and recruiting party of [illegible] company in *Major Shutes Battalion* of the 11th regiment of infantry, commanded by Lieutenant Colonel Aaron Ogden, for the purpoſe of receiving the enrollment of ſuch youth of SPIRIT, as may be willing to enter into this HONOURABLE ſervice.

The ENCOURAGEMENT at this time, to enliſt, is truly liberal and generous, namely, a bounty of TWELVE dollars, an annual and fully ſufficient ſupply of good and handſome cloathing, a daily allowance of a large and ample ration of proviſions, together with SIXTY dollars a year in GOLD and SILVER money on account of pay, the whole of which the ſoldier may lay up for himſelf and friends, as all articles proper for his ſubſiſtance and comfort are provided by law, without any expence to him.

Thoſe who may favour this recruiting party with their attendance as above, will have an opportunity of hearing and ſeeing in a more particular manner, the great advantages which theſe brave men will have, who ſhall embrace this opportunity of ſpending a few happy years in viewing the different parts of this beautiful continent, in the honourable and truly reſpectable character of a ſoldier, after which, he may, if he pleaſes return home to his friends, with his pockets FULL of money and his head COVERED with laurels.

GOD SAVE THE UNITED STATES.

כרזת גיוס לצבאו של גנרל ג׳ורג׳ וושינגטון, 1776.
Recruiting poster for General Washington's army, 1776.
(Courtesy of the Library of Congress, Washington, D.C.)

לוח לספירת העומר, עץ וקלף, פילדלפיה, המאה ה־18.
Omer Calendar, wood and parchment, Philadelphia, 18th century.
(Courtesy of Congregation Mikveh Israel, Philadelphia)

רימונים לתורה, כסף מוזהב חלקית, ניו־יורק, 1772 בערך.
נעשו בידי הצורף היהודי מאייר מאיירס.
Rimonim (Torah Finials), silver, partial gilt, New York, c1772.
The Rimonim were made by the Jewish silversmith Myer Myers.
(Courtesy of Congregation Mikveh Israel, Philadelphia)

מוזס כהן מרדכי (1888-1804) ורעייתו, איזאבל רבקה לבית ליונס, 1860 בערך.
מרדכי, סוחר ובעל אוניות, היה סנאטור בדרום קרולינה בשנים 1855־1858.

Moses Cohen Mordecai (1804-1888) with his wife, Isabel Rebecca nee Lyons, c1860.
Mordecai, a merchant and shipowner,
was a State Senator for South Carolina in the years 1855-1858.
(Courtesy of the American Jewish Archives, Cincinnati)

אזרחים ומשרתי - ציבור
Citizens and Public Servants

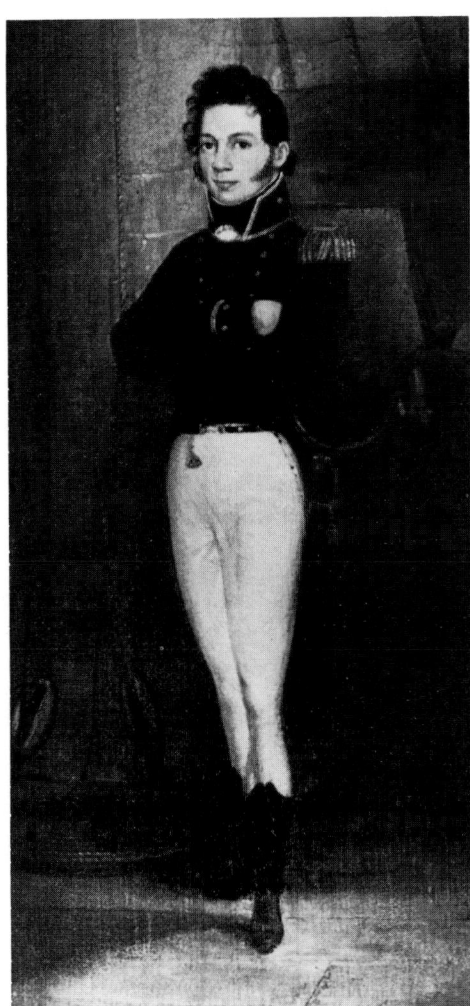

מימין: מרדכי עמנואל נוח (1851-1785),
עיתונאי, מחזאי ומדינאי, ששימש כקונסול ארצות־הברית בתוניס בשנים 1815-1813. רישום, 1820 בערך.
במרכז: אוריה פיליפס לוי (1862-1792), היהודי הראשון שהגיע לדרגת קומודור בצי ארצות־הברית. ציור שמן, 1820.
משמאל: סולומון אטינג (1847-1764) מבולטימור, מדינאי ולוחם לזכויות היהודים. אטינג היה היהודי הראשון שנבחר למשרה ציבורית במדינת מרילנד,
ממקימי מסילת הברזל בולטימור־אוהיו, וממייסדי לשכת "הבונים החופשיים". בקהילה היהודית שימש כשוחט.
תמונת־צללית, המאה ה־19.

Right: Mordecai Manuel Noah (1785-1851),
journalist, playwright and politician who served as U.S. Consul in Tunis in the years 1813-1815. Drawing, c1820.
(Courtesy of the American Jewish Historical Society, Waltham, Mass.)
Center: Uriah Phillips Levy (1792-1862), the first Jew to obtain the rank of Commodore in the US Navy. Oil painting, 1820.
(Courtesy of the American Jewish Historical Society, Waltham, Mass.)
Left: Solomon Etting (1764-1847), politician and Jewish civil rights activist from Baltimore. Etting was the first Jew elected to public office in Maryland,
a railroad promoter and a Masonic Lodge founder. In the Jewish community he served as a "shohet" (ritual slaughterer).
Silhouette, 19th century.
(Courtesy of the American Jewish Archives, Cincinnati)

מימין: מרים גראץ לבית סיימון, אשת מייקל גראץ.
ציור שמן מאת גילברט סטיוארט, 1805 בערך.
משמאל: ג׳ונאס פיליפס (1803-1735) מפילדלפיה; סוחר, נשיא קהילת ״שארית ישראל״ ומבכירי מסדר ״הבונים החופשיים״.
ציור שמן המיוחס לצ׳ארלס ווילסון פיל.

Right: Miriam Gratz nee Simon, wife of Michael Gratz.
Oil painting by Gilbert Stuart, c1805.
(Courtesy of Evelyn Schwartz, Paterson, N.J.)
Left: Jonas Phillips (1735-1803) of Philadelphia, a merchant and president of Congregation Mikveh Israel, and a "Master Mason".
Oil painting attributed to Charles Wilson Peale.
(Courtesy of the American Jewish Historical Society, Waltham, Mass.)

מימין: מייקל גראץ (1811-1740),
נולד בשלזיה והיגר לפילדלפיה כנער. היה סוחר ומתווך קרקעות אמיד, נשיא קהילת "מקווה ישראל" ואביה של רבקה גראץ.
ציור שמן מאת תומאס סאלי, 1805 בערך.
משמאל: רבקה גראץ (1869-1781), אשת ציבור ומחנכת מפילדלפיה, מייסדת אגודת הצדקה של נשים יהודיות ובית־ספר־של־יום־א׳ הראשון.
אומרים ששימשה השראה לדמות רבקה ברומן ההיסטורי "אייבנהו" מאת סיר וולטר סקוט.
ציור שמן מאת תומאס סאלי, ראשית המאה ה־19.

Right: Michael Gratz (1740-1811), born in Silesia and emigrated to Philadelphia as a youth.
He became a wealthy merchant and land speculator, and was president of the Mikveh Israel Congregation and the father of Rebecca Gratz.
Oil painting by Thomas Sully, c1805.
(Courtesy of the American Jewish Historical Society, Waltham, Mass.)
Left: Rebecca Gratz (1781-1869), Philadelphia educator and public figure.
Founder of the Hebrew Female Benevolent Society, and the first Hebrew Sunday School.
She is reputed to have been the model for Rebecca in Walter Scott's historical novel "Ivanhoe".
Oil painting by Thomas Sully, early 19th century.
(Courtesy of the American Jewish Historical Society, Waltham, Mass.)

רישום של פנים המבנה החדש של בית הכנסת ״מקוה ישראל״ בפילדלפיה,
נחנך ב־1825.

Drawing of the interior of the new building of the Mikveh Israel Synagogue in Philadelphia, which was dedicated in 1825.
(Courtesy of the American Jewish Historical Society, Waltham, Mass.)

בסימן טוב

Mordecai Sheftall

מימין: ג'ודית פולוק מיניס (1819-1745), אשת פיליפ מיניס, היהודי הראשון שנולד בג'ורג'יה.
ציור שמן, המאה ה־18.
משמאל: הכתובה של מרדכי שפטל ופרנסיס הארט, סאבאנה, 1761.
מרדכי שפטל היה מראשוני היזמים באיזור, עסק בחקלאות, ספנות, עיבוד עורות ומסחר, והיה גם בעל מנסרה.

Right: Judith Polock Minis (1745-1819), wife of Philip Minis, first native-born American Jew in Georgia.
Oil painting, 18th century.
(Courtesy of Congregation Mickve Israel, Savannah, Georgia)
Left: Ketubbah (marriage contract) of Mordecai Sheftall and Francis Hart, Savannah, 1761.
Mordecai was a pioneer entrepreneur whose business activities included farming,
tanning, shipping, storekeeping and running a sawmill.
(Courtesy of Congregation Mickve Israel, Savannah, Georgia)

פנים דגם בית הכנסת "טורו" בניופורט, נחנך ב־1763.
היום בית הכנסת הוא אתר היסטורי לאומי.

Interior of a model of the Touro Synagogue in Newport,
dedicated in 1763. Today the synagogue is a national monument.
(From the Permanent Exhibition, Beth Hatefutsoth)

שרה ריוורה, אשת אהרון לופז מניופורט, ובנם ג׳ושוע.
ציור שמן מאת גילברט סטיוארט, 1775 בערך.

Sara Rivera, wife of Aaron Lopez of Newport, and their son Joshua.
Oil painting by Gilbert Stuart, c1775.
(Courtesy of the Detroit Institute of Fine Arts)

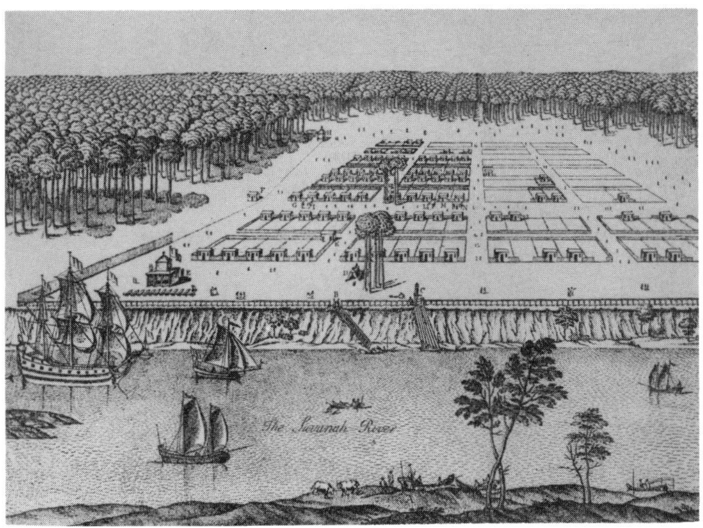

למעלה מימין: רציף בנמל פילדלפיה. תחריט, 1800.
למעלה משמאל: מראה העיר צ׳ארלסטון, דרום קרוליינה. תחריט, 1780.
למטה מימין: מראה העיר ניופורט, רוד־איילנד. תחריט, 1795.
למטה משמאל: מראה העיר סאבאנה, ג׳ורג׳יה. תחריט צבוע, 1741.
בעמוד ממול:
בית הכנסת "בית אלוהים" בצ׳ארלסטון, נחנך ב־1749. הדפס על פי ציור מאת סולומון קארבאלו, 1838.

Above right: At the Philadelphia docks. Engraving, 1800. (Courtesy of the Library of Congress, Washington, D.C.)
Above left: View of Charleston, South Carolina. Engraving, 1780. (Courtesy of the American Jewish Archives, Cincinnati)
Below right: View of Newport, Rhode Island. Engraving, 1795. (Courtesy of the New York Public Library)
Below left: View of Savannah, Georgia. Colored engraving, 1741. (Courtesy of the Library of Congress, Washington, D.C.)
On the opposite page:
The Beth Elohim Synagogue in Charleston, dedicated in 1749. Print after a painting by Solomon Carvalho, 1838.
(Courtesy of the American Jewish Historical Society, Waltham, Mass.)

בנג'מין גומז (1828-1769),
בעל בית מסחר לספרים, והמו"ל היהודי הראשון בניו־יורק.

Benjamin Gomez (1769-1828),
first Jewish bookseller and publisher in New York.

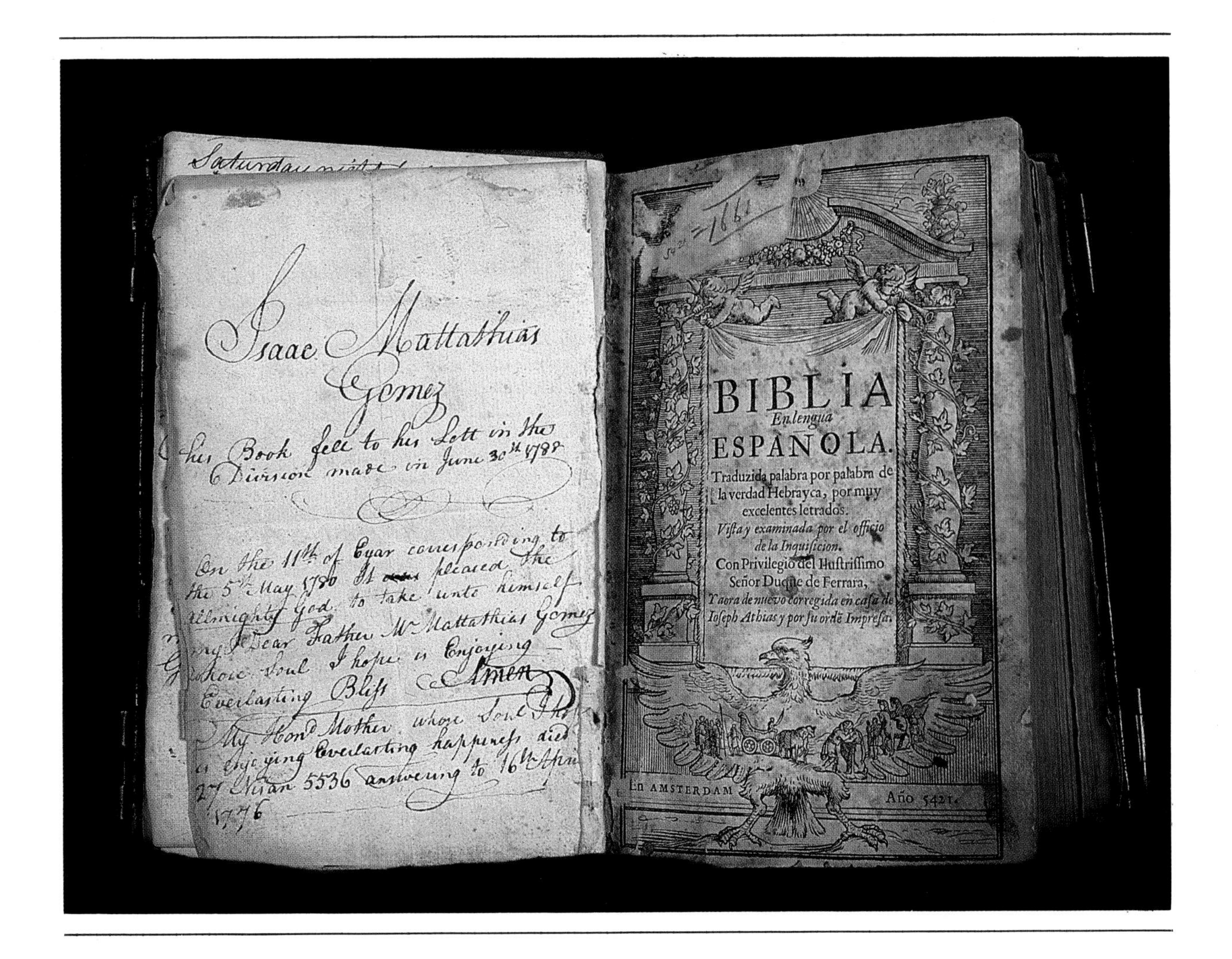

דף השער של התנ"ך של משפחת גומז, שנדפס בספרדית באמסטרדאם ב־1661.
התנ"ך הובא מאנגליה על ידי לואיס גומז, שהתיישב בניו־יורק ב־1703.

Title page of the Gomez family Bible, printed in Spanish in Amsterdam, 1661.
The Bible was brought from England by Lewis Gomez, who settled in New York in 1703.

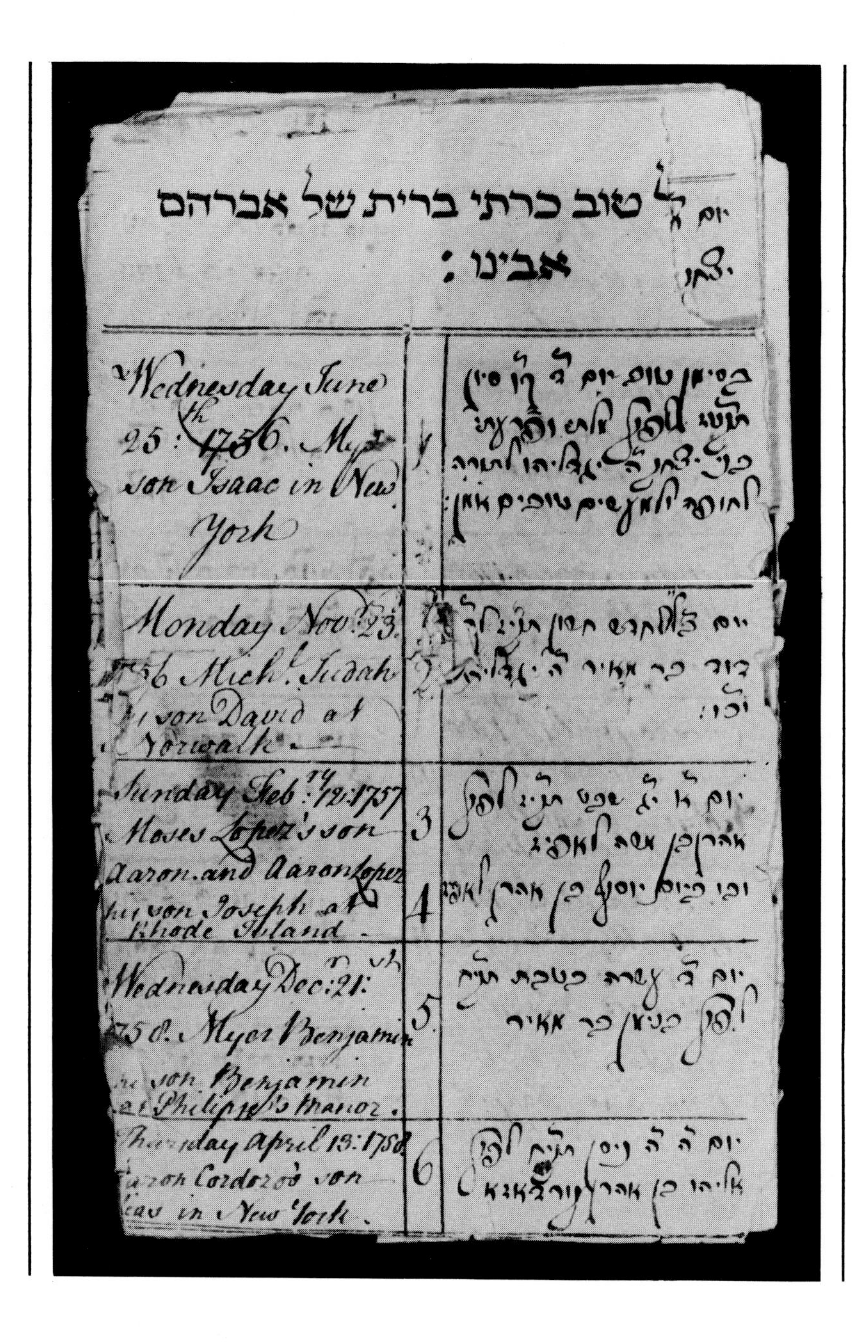
יום טוב כרתי ברית של אברהם אבינו :

Wednesday June 25th: 1756. Myer son Isaac in New York	1
Monday Nov: 23. 1756 Mich! Judah son David at Norwalk.	2
Sunday Feb 14: 1757 Moses Lopez's son Aaron. and Aaron Lopez	3
son Joseph at Rhode Island.	4
Wednesday Dec: 21: 1758. Myer Benjamin son Benjamin at Philipse's manor.	5
Thursday April 13: 1758 Aaron Cordozo's son Isaac in New York.	6

בעמוד ממול: תיבה ומערכת כלי מוהל מכסף, מעשה־ידי מאייר מאיירס, המאה ה־18.
המערכת היתה שייכת למוזס מנדס סיישס מניופורט.
למעלה: דף מספר מוהל, ניו־יורק, 1756.

On the opposite page: Box and silver circumcision set, made by Myer Myers, 18th century.
The set belonged to Moses Mendes Seixas of Newport.
(Courtesy of the American Jewish Historical Society, Waltham, Mass.)
Above: Page from a circumcision registry book, New York, 1756.
(Courtesy of the American Jewish Historical Society, Waltham, Mass.)

DUDLEY JOHNSON
Trunk Maker
London

משמאל: הארמון הנדריקס (1838-1771).
הנדריקס היה בעליו של מפעל ללוחות נחושת ותרם רבות לפיתוח תעשיית הנחושת באמריקה.
ציור שמן מאת ס.ל. וולדו וויליאם ג׳ואט, 1820 בערך.
מימין: פרנסס אייזאקס הנדריקס (1854-1783),
בתו של ג׳ושוע אייזאקס, ורעייתו של הארמון. ציור שמן, 1820 בערך.

Left: Harmon Hendricks (1771-1838).
Owner of a pioneer copper rolling factory,
Hendricks was instrumental in developing America's copper industry.
Oil painting by S.L. Waldo and William Jewett, c1820.
Right: Frances Isaacs Hendricks (1783-1854), daughter of Joshua Isaacs and wife of Harmon.
Oil painting, c1820.

דורות ראשונים 1830-1654
The First Generations 1654-1830

מימין: גרשום מנדס סיישס (1816-1746), החזן הראשון יליד אמריקה;
אחד משלושה־עשר אנשי הדת שהוזמנו להשתתף בטקס השבעתו לנשיאות של ג׳ורג׳ וושינגטון.
מיניאטורה, ציור שמן על שנהב, המאה ה־18.
משמאל: ג׳ושוע אייזאקס, נשיא קהילת ״שארית ישראל״ בשנים 1800-1799.
ציור שמן, המאה ה־18

Right: Gershom Mendes Seixas (1746-1816), first American-born cantor;
one of the thirteen ministers chosen to attend George Washington's inauguration.
Miniature, oil on ivory, 18th century.
(Courtesy of Maxwell Whiteman, Elkins Park, Pa.)
Left: Joshua Isaacs, president of Shearith Israel Congregation in the years 1799-1800.
Oil painting, 18th century.
(Courtesy of Congregation Shearith Israel, N.Y.C. The Spanish and Portuguese Synagogue)

תנו לי את הרצוץ, מזה־הרעב,
המון החנוקים אשר נכסף לדרור,
הפסולת הסחופה שלחופכם תשכב;
שילחום אלי, מוכי־סופה, חסרי־מסתור –
אניף את פנסי מול דלת הזהב!

מתוך השיר "קולוסוס חדש", מאת אמה לאזארוס

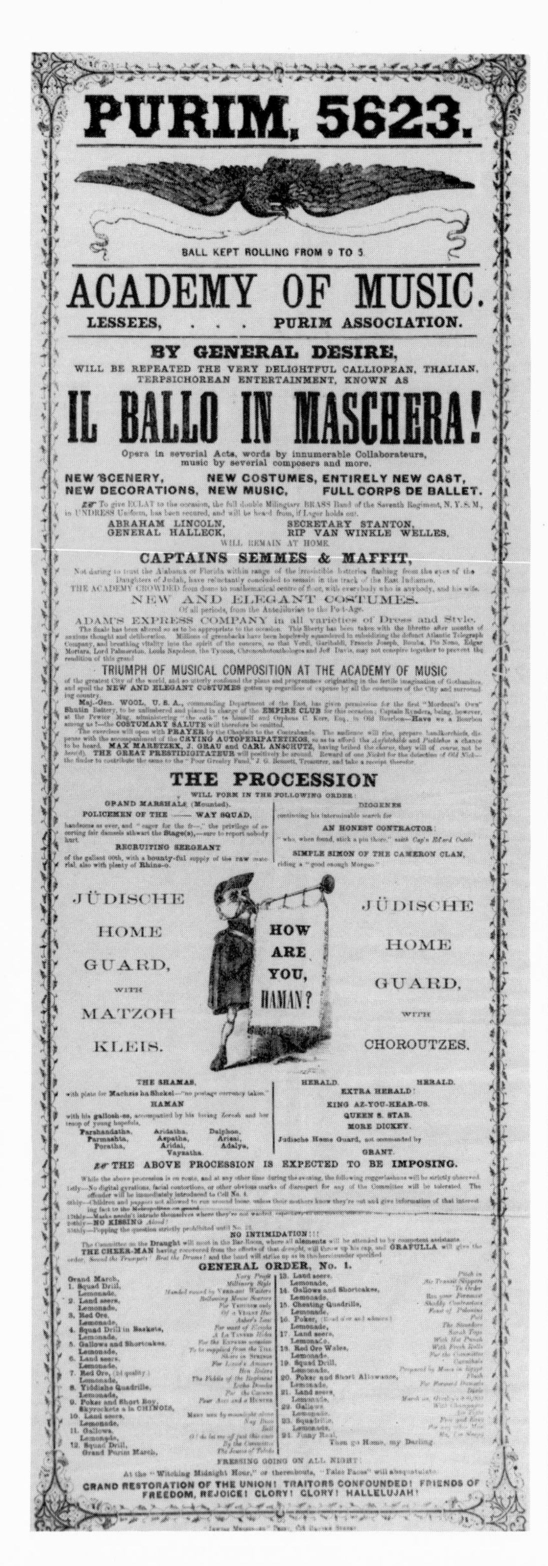

אלא שבנימין, שהיה אורח לרגע, התקשה להבחין בהשפעתו הרבה של הבית היהודי. מספרת בתו של סוחר מסן־פראנסיסקו:

> בימי שישי היה אבא דוחק בלקוח האחרון לצאת את החנות כדי שיוכל להספיק.להגיע לבית־הכנסת, ולמהר לאחר־מכן הביתה כדי לקבל את פני שבת המלכה. בפסח היה הבית נקי מחמץ, וביום כיפור היה לבו של אבא טהור מחטאים... הקפדתו של אבא על קיום מצוות הדת היתה רק פן אחד של כמיהתו לצדיקות. הוא שאף להיות... אדם העושה מעשים טובים; מעל לכל רצה להיות אדם טוב, אב טוב, אזרח טוב...

ארגונים ומועדונים

במסגרתה הפנימית של המשפחה היהודית-גרמנית לא חלו, אמנם, שינויים מרחיקי־לכת, אך מחוץ למעגל המשפחה התרחשה באותן שנים מהפכה חברתית: תהליך החילון של החיים הקהילתיים היהודיים. באירופה שימש בית־הכנסת מרכז לחינוך, לצדקה ולפעילות חברתית. באמריקה נמשכה מסורת זו עד לשנות השלושים של המאה ה־19. אז החלו החיים הקהילתיים להתנהל מחוץ לגבולות בית־הכנסת, עם הקמתם של מועדונים ואגודות עצמאיות שמנהיגיהם היו חילונים — אזרחים מן השורה.

ארגוני הצדקה היו בין הארגונים העצמאיים הראשונים. הם הוקמו על־ידי יהודים ילידי אמריקה, כמענה לצרכיהם של המהגרים החדשים הרבים. "אגודת הצדקה היהודית של ניו־יורק", לדוגמא, הוקמה בשנות ה־20 של המאה ה־19 על־ידי חברי קהילת "שארית ישראל" הוותיקה. אחר כך התמזגה עם "אגודת הצדקה הגרמנית-עברית", ובכוחות משותפים הקימו את בית־היתומים היהודי הראשון על אדמת אמריקה. בדרך דומה הוקם גם בית־החולים היהודי הראשון, "מאונט סיני" ("הר סיני").

מאמצים שכאלה הובילו להקמתה של רשת מורכבת של ארגוני צדקה, ובסופו של דבר, בסוף המאה הקודמת, להקמתה של פדרציה של ארגוני צדקה יהודיים, שאינה קשורה לבתי־כנסת, בכל עיר שבה חי מספר ניכר של יהודים גרמנים.

ארגונים אחרים, כמו "בני ברית", סיפקו מקום מפגש לסוחרים ולפקידים אשר ביקשו לעצמם מסגרת חברתית והגנה הדדית באווירה שאינה דתית. ארגון "בני ברית" הוקם בניו־יורק ב־1843, על־ידי יהודים גרמנים; ב־1860 כבר היו לו יותר מחמישים סניפים. הוא סיפק לחבריו לא רק מסגרת חברתית אלא גם שירותי קבורה, סיוע משפטי, שירותי אישפוז ופעילות תרבותית. חשוב מכל, הארגון פעל נמרצות "לשבירת כל המחסומים שהוקמו כתוצאה מדעות קדומות — בעולם הישן, ולצערנו גם בזה החדש."

יש וארגונים הוקמו כמענה לצרכים חברתיים גרידא. במרכזי הערים הגדולות ניתן היה למצוא מועדונים חברתיים שנשאו שמות כגון "קונקורדיה", "פניקס", "מרקנטייל" ו"סטנדרד". מועדון "סטנדרד" בשיקאגו, שהוקם ב־1869, היה טיפוסי למדי. הוא נבנה בשדרות מישיגאן, השדרה המרכזית היוקרתית. המבנה, העשוי לבנים וגרניט, היה מרשים במראהו החיצוני. בקומה העליונה היה אולם ריקודים מפואר; בקומת המרתף היו שולחנות ביליארד ומשטח למשחק הכדורת; ובקומת הכניסה היתה מסעדה בה הוגשו מאכלים מן הטובים בעיר. בצמוד למסעדה היה באר מצוייד היטב, ואולם קטן למשחק קלפים ולשיחה שקטה. משפחות החברים יכלו לבלות בו באווירה נינוחה, ולעסוק בצנעה בשידוך צאצאיהם. בסוף שנות השבעים של המאה ה־19 היו כבר מועדונים כאלה בכל אחד מן המרכזים היהודיים הגדלים. בעת ההיא כבר יכלו יהודים גרמנים לנוע בכל רחבי היבשת, סמוכים ובטוחים כי לעולם לא יהיו רחוקים מדי מחברתם של יהודים שכמותם. בכל אחת מן הערים הגדולות ברחבי ארצות־הברית ניתן היה להתגורר בשכונה יהודית גרמנית ולהצטרף לבית־כנסת רפורמי, לסניף של "בני ברית" או לארגון הנשים הקשור אליו, או למועדון חברתי יהודי אחר.

בארצות־הברית הפכו היהודים — בכל מקום בו בחרו להתיישב — מ"זרים נצחיים" לעם בעל מולדת חדשה. עידן חדש נפתח בהיסטוריה היהודית, עידן בו הגולה לא היתה עוד מקום מקולל אלא מקום מבורך. ביטוי ממצה לתחושה זו ניתן בעת טקס הנחת אבן־הפינה לבית־הכנסת "בית אלוהים" בצ'ארלסטון. "ארץ זו היא הפלשתינה שלנו," אמר הרב; "עיר זו היא ירושלים שלנו; בית־כנסת זה הוא המקדש שלנו."

יהודים אלה סללו את הדרך לפני הגל הגדול של מהגרים יהודיים, שהחלו מגיעים לאמריקה בשנות השמונים של המאה ה־19. עד למלחמת־העולם הראשונה באו לאמריקה כשני מיליון יהודים דוברי אידיש מתחום המושב שברוסיה ומן האימפריה האוסטרו־הונגרית. מהגרים חדשים אלה התיישבו בניו־יורק ובכל מרכז גדול אחר שבו היתה דרישה לידיים עובדות. היהודים הגרמנים הוותיקים הושיטו לאחיהם יד מסייעת — במזון ובביגוד, בדיור ובתעסוקה. חשוב מזה, הם נתנו להם תחושה של המשכיות של חיים יהודיים באמריקה, וגם תחושה של שייכות לארץ שבה יכלו יהודים, לצד חלוצים בני עמים ותרבויות אחרים, לתרום לצמיחתה של ציביליזציה מיוחדת במינה.

מפעלים, שייצרו ביגוד בערך של 15 מיליון דולאר, הפכו את העיר למרכז הגדול ביותר של תעשיית ההלבשה לגברים בארצות־הברית. ב־1880 מחצית מכלל העסקים שבבעלות יהודית היו בענף ההלבשה. המרכז הגדול ביותר היה בניו־יורק, ומרכזים אחרים היו בסינסינטי, בשיקאגו, בסט. לואיס ובמילווקי.

בתי הכלבו לא הומצאו על־ידי יהודים, גם ערש לידתם לא היה בארצות־הברית, ואולם כיום נקשר שמן של כמה משפחות יהודיות גרמניות בסיפור התפתחותם. השמות הידועים הם: שטראוס, בלומינגדייל, שטרן ואלטמן בניו־יורק; גימבל, ליט וסנלנבורג בפילדלפיה; קאופמן בפיטסבורג; גולדסמיט בממפיס; ריץ' באטלנטה; סאנגר ומרקוס בדאלאס; לאזרוס בקולומבוס, אוהיו; רוזנוואלד בשיקאגו; ומיי, מאגנין, מאייר ופראנקס במערב. משפחות אלה נודעו לא רק בכך שהקימו שושלות עסקיות שמילאו תפקיד מרכזי בהתפתחות המסחר בארצות־הברית, אלא גם בכך שייסדו בתי־חולים, ספריות ציבוריות, תזמורות ומוזיאונים, וכמי שתרמו תרומה חשובה לשיפור איכות־החיים בעריה של אמריקה. יהודים גרמנים היו פעילים גם בענפי ההנעלה, התבואה, הדייג, הבנקאות, הנייר, הנחושת והפרוות. שמות כמו פלורשהיים, פרידלנדר, פלס, שוואב, זלרבאך, גוגנהיים, קוהן, לב ושיף זכו במאה ה־19 להכרה ולהערכה, בקרב יהודים ונוצרים כאחד.

התנועה הרפורמית

בעקבות מהפכות 1848 באירופה, הגיעו לארצות־הברית רבנים בעלי השכלה אוניברסיטאית מבוואריה, בוהמיה ופרוסיה. רבנים אלה ייסדו את תנועת הרפורמה הדתית באמריקה, שמטרתה היתה להתאים את האמונות והמנהגים הדתיים המסורתיים לרוח המתקדמת של התקופה. רבנים אלה ראו בתלמוד מכשלה לאמונתם, לא פחות מאשר האמונה בנסים או מכירת כיבודים דתיים לכל המרבה במחיר.

ב־1854 היה הרב אייזק מאייר וייז, מצדד נלהב ברפורמה, למנהיגה הרוחני של הקהילה הרפורמית "בני ישורון", בסינסינטי. באותה שנה ייסד גם את "דה יזראלייט", שבועון בשפה האנגלית שהיה מוקדש, במוצהר, ל"דתם, תולדותיהם וספרותם" של היהודים, אף שוייז, פולמוסן מוכשר, השתמש בו כדי לתקוף את מה שנראה בעיניו מנוגד לאופי החיים המודרניים בארצות־הברית.

"הניחו ידכם על לוח לבכם, היו רגועים וכנים," כתב וייז לקוראיו, "ושאלו את עצמכם התוכלו, בבוא העת, להצדיק את מעשיכם לפני האל, אם הדורות הבאים של עם ישראל יאבדו לנו, משום שכפיתם עליהם אמונות אשר הביאום לדחות את הדת שלנו בכללותה." וייז העיד על עצמו שאינו יכול להצדיק זאת, והצהיר כי "חובה קדושה" מוטלת על קוראיו: להסיר מן הדת את הטקסים והמנהגים הגורמים להם תחושה של אי־נוחות ביהדותם.

התוצאה היתה הפסקתם של מנהגים יהודיים עתיקי־יומין, כגון כיסוי הראש, הנחת תפילין ותפילה בעברית. הופסק גם מנהג החופה ומנהג הקבורה בתכריכים ובארונות פשוטים. עתה יכול היה יהודי גרמני לחיות כל חייו באמריקה מבלי שייראה כלפי חוץ כיהודי.

וייז וחבריו הצליחו להגשים את מטרותיהם בתוך פחות משנות דור: בפרוץ מלחמת האזרחים נמנו מרבית יהודי הארץ עם הזרם הרפורמי. התנועה הרפורמית הגיעה לבשלות עם ייסוד "איחוד הקהילות העבריות של אמריקה" ב־1873, ועם פתיחתו, שנתיים לאחר מכן, של ה"היברו יוניון קולג'", מוסד ההשכלה־הגבוהה היהודי הראשון הקיים עד היום.

באותה עת כבר היתה מערכת החינוך האמריקאית נתונה בתהליך הקמה, והוצע בה חינוך ציבורי לכל, חינם אין כסף. תכנית הלימודים לא כללה שיעורי דת ומוסדות החינוך הדתיים לא קיבלו סיוע ממשלתי. הקבוצות הדתיות שחפצו בבתי־ספר משל עצמן נדרשו לגייס את המשאבים הכספיים הדרושים לכך. בשנות הארבעים והחמישים של המאה ה־19 ניסו יהודים גרמנים בערים ניו־יורק, אולבני, סינסינטי, שיקאגו, בוסטון, בולטימור ופילדלפיה לקיים בתי־ספר דתיים; ואולם הנסיונות לא עלו יפה. אחת הסיבות לכך נעוצה, קרוב לוודאי, בעובדה שלמהגרים החדשים לא היה די כסף כדי לקיים את בתי־הספר, ואילו בעיני מי שיכלו לממן חינוך דתי פרטי, היו לימודי המוסיקה, הספרות וההיסטוריה חשובים בהרבה מלימודי העברית. כך התרשם הסופר והנוסע י. בנימין, שסייר בארצות־הברית בשנות השישים של המאה, וגילה שבניהם — ובייחוד בנותיהם — של היהודים הגרמנים בקיאים אך מעט ביהדות:

... הם מאפשרים לה... לסיים את חוק לימודיה... בעזרת מורה למוסיקה, מורה לזמרה, ואומנת לתירגול הדיבור בצרפתית; אומנת זו גם מלמדת אותה לתפור, לסרוג וכיו"ב. ולהשלמת החינוך הם מעסיקים מורה לעברית. על המורה מוטלת המשימה ללמד אותה את האלף־בית של שפה שבה אמורה היתה, כילדה, לחוש את שמו של האל. ... בלכתה לישון ובקומה בבוקר היא נושאת, קרוב לוודאי, תפילה עברית או אנגלית באוזני אמה. ואולם בכל הנוגע ליהדות אין הילדה מתנסה בדבר כלשהו, או יודעת דבר כלשהו.

למעלה: תקיעה בשופר במוצאי יום כיפור בבית כנסת רפורמי בניו־יורק; התקיעה נעשית בגילוי־ראש.
מתוך "העיתון המאוייר של פראנק לסלי", ניו־יורק, 1888.
בעמוד ממול: מודעה על נשף צדקה שנערך בפורים, ניו־יורק, 1863.
ההכנסות מהנשף, בו השתתפו למעלה מ־3,000 איש, הוקדשו, בין היתר, לנפגעי מלחמת האזרחים.

Above: Blowing the shofar at the end of the Day of Atonement at a Reform synagogue in New York; the shofar blower is hatless.
From Frank Leslie's Illustrated Newspaper, New York, 1888.
(Courtesy of the American Jewish Historical Society, Waltham, Mass.)
On the opposite page: Advertisement for a Grand Purim Charity Ball, New York, 1863.
The proceeds from the ball, which was attended by more than 3,000 people, also aided Civil War casualties.
(Courtesy of the American Jewish Historical Society, Waltham, Mass.)

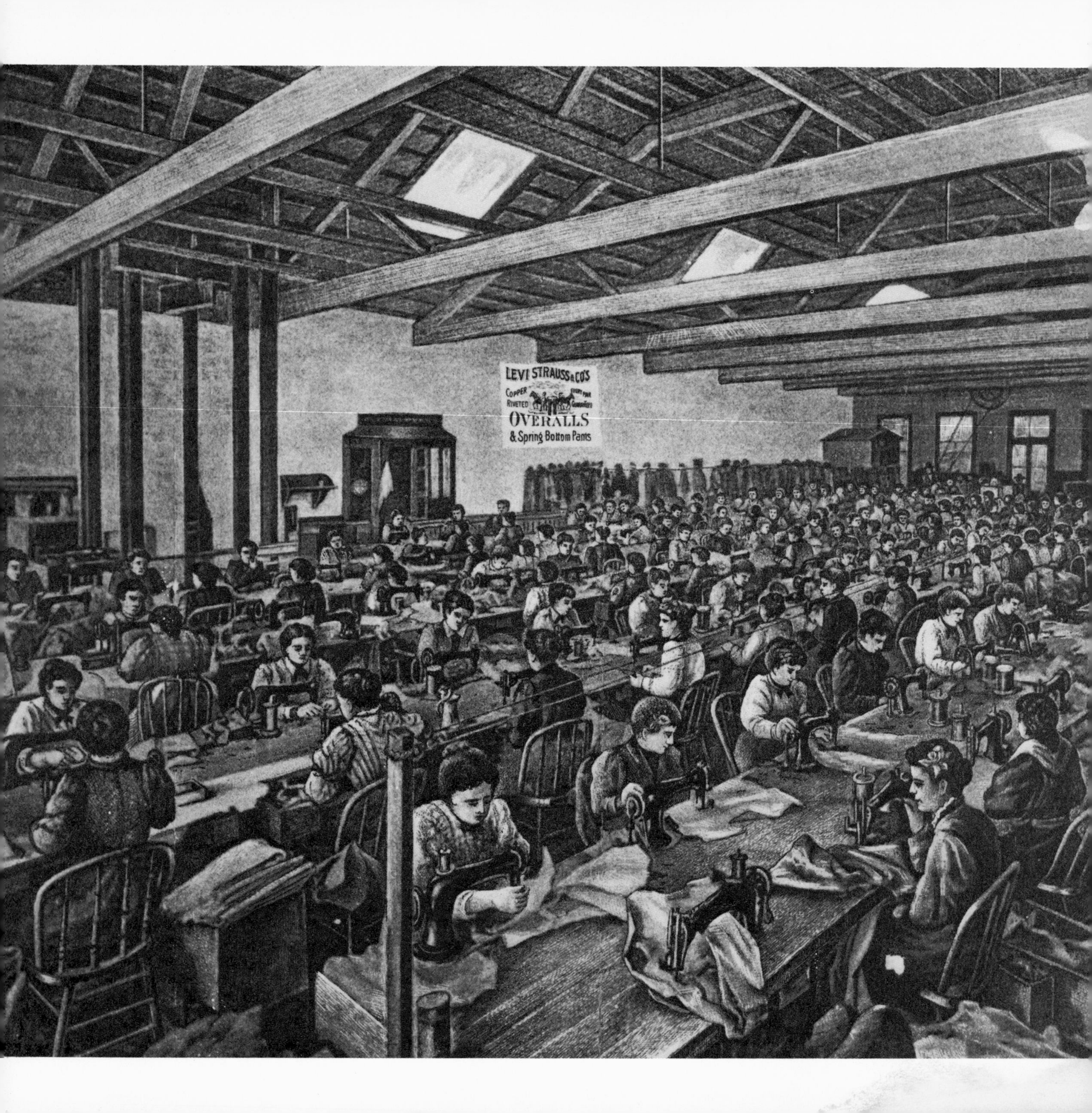
LEVI STRAUSS & CO'S
COPPER RIVETED
EVERY PAIR GUARANTEED
OVERALLS
& Spring Bottom Pants

משפחות שלמות חצו עתה את האוקיינוס. תחילה נשלח נציג או שניים, וכעבור זמן הצטרפו אליו כל יתר בני המשפחה. עם התפשטות קדחת ההגירה קמו בכל קהילות גרמניה עשרות אנשים ופנו "לנסות את מזלם בעברו השני של האוקיינוס." ב־1860, השנה בה פרצה מלחמת האזרחים האמריקאית כבר היה אפשר למצוא יהודים בכל יישוב ויישוב ברחבי הארץ הגדלה במהירות.

ליצרנים ולסיטונאים היהודים שבחוף המזרחי היה חלק חשוב בביסוסם של המהגרים היהודים החדשים. עקב נכונותם להעניק אשראי לבני־עמם, יכלו הללו לצאת לדרך המסחר או הרוכלות כשהם נושאים על גבם שק מלא סחורה, גם כאשר בכיסם לא היתה פרוטה לפרטה.

ג'וזף הייז, שבא לחיות במחיצת משפחתו בקליבלנד, אוהיו, זמן קצר לפני מלחמת האזרחים, מספר:

> שבועיים לאחר בואי לקליבלנד נעשיתי חסר סבלנות והשתוקקתי לצאת ולהרוויח כסף. אחי קאופמן שלח אותי לחנות לצורכי דפוס לקנות קופסת קרטון בעלת רצועות ומכוסה בבד שחור, אטום למים. שבתי עם הקופסה וקאופמן בחר עבורי את מלאי הסחורות הראשון...
> למחרת השכם בבוקר נתן לי קאופמן דף נייר ועליו רשומות השאלות והתשובות שלהן אזדקק בעת המכירה, בעית שאקבל כסף ואצטרך לתת עודף ובעת שאבקש לסעוד וללון...
> [כעבור כמה ימים] אחרי הארוחה רוקנתי את ארנקי על השולחן. אחותי יטה ערמה עליו את המטבעות, ובעת שעשתה זאת צחקה והשמיעה באוזני דברי עידוד בגרמנית: "עוד תהיה עשיר באחד הימים."

הרוכלים נעו ברגל, בקרון־סוסים או בספינת־נהר, והעזו לחדור למרחבים חדשים. ככל שראו הצלחה בעסקיהם, משכו בעקבותיהם עוד יהודים, עד שהגיע מניינם לכדי ייסוד קהילה חדשה.

לוי שטראוס, יליד בוואריה, היה בין המעטים שהפליגו באניה מניו־יורק לקליפורניה. מסעו של שטראוס נמשך שלושה חודשים ועלה לו קרוב לארבע מאות דולאר; ואולם היה זה מסע שהשתלם היטב, מרגע שנחו עיניו על המפרץ הנפלא הזרוע אניות־מפרש, ועל סן פראנסיסקו, העיר המשגשגת שבמרכזו.

במהרה הקים שטראוס אוהל ומכר בו מוצרי בד לכורים, למלחים ולבוקרים. בתוך זמן קצר הפך לדמות מוכרת בעיירות הכורים בעלות השמות המוזרים — פידלטאון (עיר הכינורות), מישיגאן בלאף (צוק מישיגאן), מרפייז (העיר של מרפי), צ'ייניז קמפ (מחנה הסינים). התחרות היתה חריפה ורבים ירדו מנכסיהם, אך לא כן שטראוס. ערב מלחמת האזרחים כבר ניהל מחזור עסקים בהיקף של שלושה מיליוני דולארים — ממכירת בדים, מוצרי בד וחפצי בית, והיה כבר בדרכו להיעשות לאחד מגדולי יצרני הבגדים בארצות־הברית וזאת בזכות בגד הג'ינס — "המותאם במיוחד לצרכיהם של חקלאים, מכונאים, כורים ואנשים עובדים אחרים." בשנת 1880 לבדה שיווק שטראוס 100,000 סרבלים, שלכיס האחורי של מכנסיהם הוצמדה תווית בד שאישרה את אחריות היצרן למוצר.

במערב נפתחו בפני יהודים הזדמנויות שלא היו קיימות במזרח. יהודי יכול היה לנטוש את עבודת הפקידות ולהפוך ללוחם באינדיאנים, כמו זיגמונד שלזינגר, או לקאובוי בטקסאס, כמו ארנסט קוהלברג, או למחפש־זהב בקליפורניה, כמו ברנהרד מרקס. מי שהיה מוכן לסכן את חייו ולהחליף מצרכים תמורת זהב זכה לעתים ברווחים עצומים. אפילו אלה מבין היהודים שדבקו בעיסוקים יהודיים מסורתיים מצאו במערב הזדמנויות עסקיות חדשות.

ב־2 ביולי 1854 התכנסה בלוס אנג'לס, קליפורניה, קבוצה של רוכלים, סוחרי־בקר, סוחרי־מזון ויצרני בגדים, כדי לארגן חברת צדקה "שתרכוש חלקה לקבורה של בני עמם, וכדי להקדיש מזמנה למשימה המקודשת — צדקה." מהתחלות צנועות שכאלה קמו קהילות מאורגנות היטב, שיכלו להעסיק רב, מלמד, מוהל, שוחט ושמש, וגם ייסדו בית־כנסת וחדר. בשנות השמונים של המאה ה־19 כבר היתה בארצות־הברית רשת עניפה של קהילות שהיו בהן לפחות 300,000 נפש — הרבה יותר מאוכלוסייתן היהודית של אנגליה או של צרפת.

מן הבחינה הכלכלית התבססו קהילות אלה על רשת ייצור ושיווק בבעלות יהודית, שהתרכזה בעיקר בחוף המזרחי ובחוף המערבי, באיזור האגמים הגדולים ולאורך נהרות האוהיו, המיסורי והמיסיסיפי. גולת־הכותרת של רשת זו היתה פיתוח תעשיית ההלבשה והקמתן של חנויות הכלבו.

היהודים הכירו היטב את עסקי ההלבשה. הם קנו לעצמם שם של סוחרים בבגדים משומשים עוד בעשורים הראשונים של המאה ה־19, בניו־יורק. בשנות הארבעים של המאה ה־19 נודע רחוב צ'טהאם, מרכז עסקי הבגדים המשומשים בניו־יורק בשם "ירושלים," "מעצם העובדה שהיהודים הם רוב בקרב בעלי העסקים במקום, עם 'יינקי' בודד התקוע לו פה ושם, לשם גיוון."

זמן קצר לאחר שאליאס האו המציא את מכונת התפירה (ב־1846), החלו יהודים גרמנים בייצור בגדי גברים מוכנים, לא רק בניו־יורק אלא בכל רחבי הצפון המתועש. ב־1859 העסיקה תעשיית ההלבשה שבבעלות יהודית בסינסינטי, "מלכת ערי המערב", יותר עובדים מכל תעשייה אחרת בעיר. מאה שלושים וארבעה

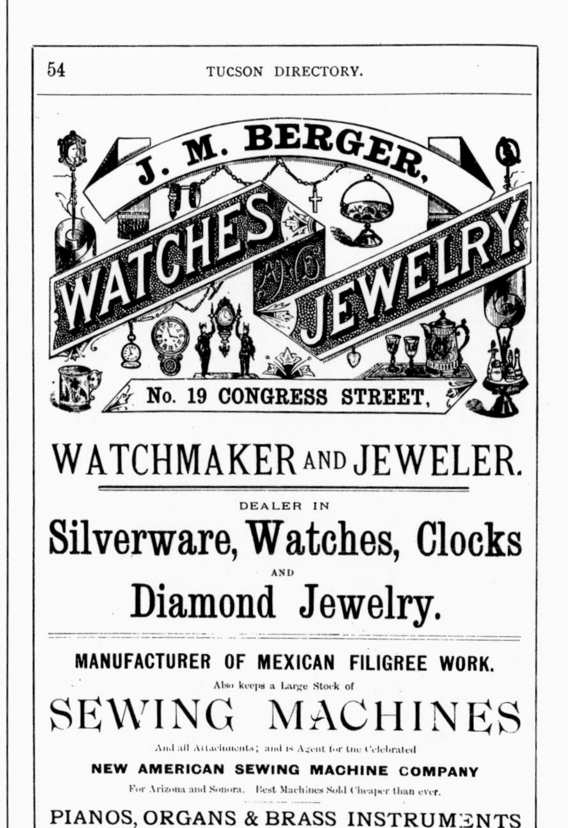

למעלה: מודעת פרסומת לחנות השעונים והתכשיטים של י.מ. ברגר. טוסון, אריזונה, 1881.
בעמוד ממול: בבית מלאכה של חברת לוי שטראוס, סן פראנסיסקו, שלהי המאה ה־19.

Above: Advertisement for J.M. Berger's watches and jewelry shop, Tucson, Arizona, 1881.
On the opposite page: At a Levi Strauss & Co. workshop, San Francisco, late 19th century.
(Courtesy of Levi Strauss & Co., San Francisco)

אפליה ושוויון

היהודים באמריקה הקולוניאלית לא נתקלו בדרך־כלל באנטישמיות, אך מעת לעת נעשו נסיונות למנוע מהם השתתפות בבחירות. ב־1737, במהלך ויכוח שהתעורר עם היוודע תוצאות ההצבעה לאסיפת הנבחרים של ניו־יורק, טען עורך־דין נוצרי, בנאום נלהב, כי הנצחון בבחירות הושג הודות לקולותיהם של יהודים וכי הללו, בהיותם רוצחיו של ישו, צריכים להיות מורחקים מן הקלפי. האסיפה תמכה בקריאתו וקבעה, כי "אין להתיר ליהודים להצביע עבור נבחרים במושבה זו." קביעה זו נשארה בתוקף בניו־יורק עד למלחמת העצמאות של ארצות־הברית. ברוד איילנד פסק בית־הדין העליון של המושבה כי אסור ליהודים לבחור ולהיבחר למשרה ציבורית. בפנסילבניה נמנע מיהודים לשמש במשרות ציבוריות עד ל־1790.

רק עם אישור החוקה הפדרלית ב־1788, נקבע התקדים החשוב שאין להפלות בין אזרחי ארצות־הברית על בסיס אמונתם הדתית.

אין ספק כי אמריקה לא הקפידה תמיד לקיים את ההבטחה של חופש אוניברסאלי וסובלנות דתית. אך בכל זאת היתה רווחת אמונה בסיסית בעקרונות אלה, כפי שנוסחו על־ידי האבות המייסדים. ג'ורג' וושינגטון הכיר בכך שאין להתנות את מילוי חובות האזרח בדתו של הפרט; ב־1790 קידם בברכה את אזרחיה היהודים של ניופורט בהבטיחו כי באמריקה "הכל נהנים מחופש המצפון" תחת ממשל "אשר אינו מוכן לסבול קנאות עיוורת."

להצהרה זו, כמו למגילת זכויות־האדם, נודעה השפעה מרחיקת־לכת על היהודים שגדלו באומה החדשה, שרוח המהפכה עדיין פיעמה בקרבה. היא עודדה אותם לחדור לעיסוקים מהם הורחקו זה מאות בשנים. יהודים בעלי נסיון במסחר בינלאומי הפכו פקידים בממשלה החדשה. אחרים שימשו כשוטרים, שריפים, קציני צבא ושופטים. הנועזים שביהודים יצאו למדינות הספר, כמו אילינוי וויסקונסין הרחוקות, וחיו שם כשווים בין שווים.

מתיישבים קדומים אלה לא היו בקיאים בהלכה היהודית וגם לא היו בעלי השכלה רחבה. בשום פנים אי אפשר לומר עליהם כי שינו בכהוא זה את ההיסטוריה האמריקאית, או את זו היהודית. אולם תולדות חייהם ממשיכים להלך עלינו קסם: הם נמנו עם הראשונים שהעלו בעצם התנהגותם את השאלה האם ייתכנו חיים יהודיים בסביבה גלותית מסבירת־פנים, שאינה מציבה כל מחסומים בפני התבוללות. כל שהתחוור בשלב מוקדם זה הוא כי ההתנסות היהודית־אמריקאית היא בעלת אופי מורכב ביותר. שכן כבר אז היה מי שהשתקע במזרח ומי שעקר מערבה, מי שנהנה מזכויות־יתר ומי שסבל מאפליה, מי שחרד לדת אבותיו ומי שהתפקר, מי שנותר חסר שורשים ומי שהתבסס במקומו.

המהגרים מגרמניה

צירוף של נסיבות חדשות שנתהוו משני עברי האוקיינוס, הביא לגידול מהיר באוכלוסייתה היהודית של ארצות־הברית — מכ־5000 בלבד, ב־1830, עד לכ־250,000 ב־1880. לאחר מפלת נפוליאון אירעו באירופה התפרצויות אנטישמיות; בארצות הדוברות גרמנית עדיין סבלו היהודים מהגבלות ואפליה, אף שלא היו עוד מסוגרים בגיטאות. תנועת ההגירה מארצות אלה הגיעה לשיאה בתחילת שנות החמישים של המאה ה־19, בעקבות השפל הכלכלי והדיכוי המדיני לאחר המהפכות של 1848. בה בעת החל בארצות־הברית תהליך ההתפשטות מערבה.

בדרום ארצות־הברית נוסדו, בתוך עשור אחד, שלוש מדינות חדשות — לואיזיאנה (1812), מיסיסיפי (1817) ואלאבמה (1819). גם בצפון חלה התרחבות דומה: נוסדו אינדיאנה (1816), אילינוי (1818) ומיסורי (1821) — שכל שטחה השתרע ממערב לנהר המיסיסיפי. התהליך הואץ על־ידי פתיחת תעלת אירי, ב־1825, ועל־ידי הנחתן של מסילות־ברזל לאורכה ולרוחבה של היבשת. ב־1848 שלטה ארצות־הברית על שטח אדמה עצום, שהשתרע מן האוקיינוס האטלנטי ועד לאוקיינוס השקט, ומספר אוכלוסיה הגיע לעשרים ושלושה מיליונים.

היהודים שהגיעו לאמריקה בשנים אלה באו בעיקר מעיירות קטנות במרכז אירופה. הם היו בניהם של אומנים, בעלי־מלאכה וסוחרים זעירים שכמהו להשתחרר מעולו של אי־צדק פוליטי ומאווירה של קפאון חברתי, ולחיות בארץ שבה "שמש החירות תזרח גם עלינו." ב־1841 פנה הנשיא ג'ון טיילר, בעת נאום לפני הקונגרס, בהזמנה "לתושבי ארצות אחרות... לבוא ולהתיישב בקרבנו, כבנים למשפחתנו המתרחבת במהירות... להשתתף עמנו במשימה של שימור מוסדותינו, ועל־ידי כך לתרום להנצחת חירויותינו." בעת שנשא את דבריו יכלו כבר היהודים להניח בבטחון כי הזמנה זו מופנית גם אליהם — ולא רק אל שכניהם הנוצרים.

ג'ייקוב הייז (1850-1772),
מפקד משטרת ניו־יורק בשנים 1849-1802.
הייז התנצר ב־1802.
קריקטורה מאת ג'. א. ריד ב"ינקי דודל",
24 באפריל, 1847.

Jacob Hays (1772-1850),
Chief of New York Police in the years 1802-1849.
Hays converted to Christianity in 1802.
Caricature by G.A. Read, in Yankee Doodle,
April 24, 1847.

ג׳ורג׳ וושינגטון (1799-1732).
תחריט, 1793.

George Washington
(1732-1799).
Engraving, 1793.
(Courtesy of the
New York Public Library)

גם את הזכות שלא להיות דתי כלל, לא היה באיומים אלה כדי למנוע מיהודים לנהוג כראות עיניהם. אין להתפלא איפוא, שהאוכלוסיה היהודית המוכרת של צפון־אמריקה נותרה, עד סוף המאה ה־18, מעטה ביותר.

בעיותיהם של יהודי ניו־יורק ופילדלפיה היו קטנות בהשוואה לאלה של הגרים בישובים המרוחקים, דוגמת פיטרסברג, וירג׳יניה. התלונה שלהלן לקוחה מתוך מכתב שכתבה אישה יהודיה להוריה בגרמניה, ב־1791:

...יש כאן עשרה או שנים עשר יהודים, שאינם ראויים כלל להיקרא יהודים. יש לנו שוחט הקונה בשוק בשר טרף ומביאו לביתו. בראש השנה התפללו כאן האנשים ללא ספר תורה, ואיש מהם לא לבש טלית או ארבע כנפות — חוץ מהיימן ומהסנדק של סמי שלי... חיינו כיום אינם חיים כלל. איננו יודעים את מועדי השבתות והחגים. בשבת פותחים כל היהודים את חנויותיהם. הם סוחרים בשבת ממש כאילו היה זה יום חול רגיל.

על רקע מצב דברים זה, אין זה מפתיע שגרשום מנדס סייסש, החזן הראשון יליד אמריקה, ידע בחייו הרבה קשיים ואכזבות. סייסש, שמשפחתו מנתה ארבע עשרה נפשות, התקשה להתפרנס ממשכורת של חזן, גם כאשר נוספו לה תשלומים עבור שירותיו כמוהל, שוחט ומלמד. סייסש נאלץ לפנות שוב ושוב לאדחונטה של קהילת ״שארית ישראל״ בבקשה כי יעלו את שכרו — צעד יוצא דופן, אם נזכור שבאמריקה, שלא כבאירופה, לא העסיקו הקהילות רבנים או חזנים לכל ימי חייהם; המשרתים בקודש היו תלויים ברצונם הטוב של עשירי הקהילה, שיכלו לשכרם ולפטרם לפי ראות עיניהם.

דרכו של סייסש צלחה בין הגויים יותר מאשר בין היהודים. הוא נבחר להיות אחד משלושה עשר המנהיגים הדתיים שנכחו בטקס השבעתו של ג׳ורג׳ וושינגטון לנשיאה הראשון של ארצות־הברית, היה אחד המייסדים של אוניברסיטת קולומביה ושימש גם כנאמן של אגודת צער בעלי־חיים בניו־יורק. עם הזמן הפך סייסש למעין שגריר של הקהילה היהודית של ניו־יורק בפני העולם הנוצרי. בתפקידו זה זכה להערכתם של יהודים ונוצרים כאחד, ששיבחוהו על ״כשרונו להתחבב על כל אדם ולהתאים את עצמו במהירות ובדרך הראוייה לכל מזג ולכל צירוף של נסיבות.״

רישום נישואי גרשום מנדס סייסש בספר קהילת ״שארית ישראל״, 6 בספטמבר, 1775.

Recording of the marriage of Gershom Mendes Seixas in the Shearith Israel Register, September 6, 1775. (Courtesy of Congregation Shearith Israel, N.Y.C. The Spanish and Portuguese Synagogue)

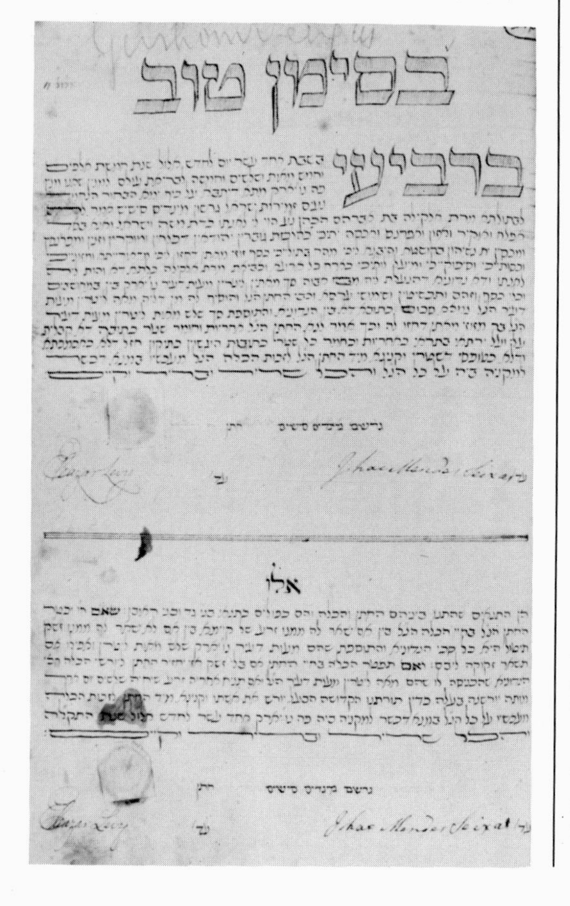
בסימן טוב
ברביעי
אלו

התבססות כלכלית

כמתיישבים בארץ שלא נהגה, למעשה, אפליה כלכלית כלשהי נגד בני דתות שונות, יכלו היהודים להתפרנס למחייתם בדרכים שונות. אחדים נסעו לסחור בכפרי האינדיאנים, שם החליפו יי״ש מתוצרת בית, ממחטות משי ועדיי כסף בפרוות ובעורות. אחרים עבדו במלאכות שונות — קצבים, אופים, סנדלרים, חייטים וצורפים. הידועים שבין היהודים — אם גם לא הרבים ביותר במספר — היו הסוחרים, שעסקו בסחורות מסחורות שונות, מספרי תנ״ך ובירה בבקבוקים ועד לרום ולסוכר. כמה מהם, כמו אהרן לופז, סחרו בעבדים. לופז, יהודי פורטוגזי שבבעלותו היו יותר משלושים אניות, היה משלם המסים הגדול ביותר בניופורט.

מפורסמים לא פחות היו מוזס לוי וג׳ייקוב פראנקס, מייסדיה של רשת מסחר בינלאומית שמשרדיה הראשיים היו בניו־יורק. לוי, אשכנזי שנולד בגרמניה ב־1665, עבר בצעירותו מלונדון לניו־יורק, וב־1700 צירף אליו את אחיו, נשותיהם וילדיהם. באותה עת מנתה קהילת ניו־יורק לא יותר ממאה נפש, שהתגוררו בקרב הנוצרים, משום שהיו מעטים מכדי להקים לעצמם שכונה נפרדת.

לוי ניצל את קשריו המסחריים בלונדון ובאיי הודו המערבית, והפך עד מהרה ליבואן מצליח של מוצרים מעובדים וליצואן של חומרי־גלם ומצרכי־מזון. העסקים היו טובים עד כדי כך שב־1711 תרם לוי — ואיתו חמישה סוחרים יהודים אחרים — כסף לבניית הצריח של כנסיית ״טריניטי״ בניו־יורק. לוי הצביע בבחירות לרשויות המקומיות, ומילא גם תפקידים נכבדים בקהילת ״שארית ישראל״. בעת מותו, ב־1728, היה נשיא הקהילה.

בתו של לוי, אביגיל, התחתנה עם ג׳ייקוב פראנקס, מתווך לונדוני שבא לניו־יורק מתוך כוונה מפורשת לשאת לאישה את אחת מבנותיו של לוי. ברגע בו יכלו להרשות זאת לעצמם, עקרו בני משפחת פראנקס לרובע המזרחי היוקרתי של העיר, שם התערו בין שכניהם, יהודים ונוצרים כאחד; כמה מילדיהם אף התחתנו עם נוצרים.

ג׳ייקוב פראנקס, שהלך בעקבות חמו, הצליח בעסקים. הוא סחר בתה, בברזל, בתותחים ובאורז. בניו — נפתלי ומוזס בלונדון, ודייוויד בפילדלפיה — סייעו לו. הודות למאמציהם המשותפים זכו, בזמן המלחמה בצרפתים ובאינדיאנים, במכרז של הצבא הבריטי בערך של 750,000 לירות שטרלינג — סכום עתק באותם הימים.

אלה שמצאו דרכם לניו־אמסטרדאם הרחוקה זכו לקבלת־פנים צוננת מידי מושל המושבה, פיטר סטייווסנט. הלה לא הסתיר כלל וכלל את שנאתו העמוקה ליהודים, והמליץ בפני מנהלי החברה ההולנדית להודו המערבית, שישבו באמסטרדאם, כי לא ירשו "למחללי שמו של ישו... הרגילים בנשיכת נשך ובהונאת נוצרים במסחר... להמשיך לזהם ולהטריד את המושבה."

בעקבות מחאותיהם של מנשה בן־ישראל ושל יהודים אחרים בעלי השפעה באמסטרדאם, נכשל סטייווסנט במאמציו. מנשה בן־ישראל וידידיו הצליחו לשכנע את מנהלי החברה ההולנדית להתיר ליהודים להתיישב על גדות נהרות ההאדסון והדלאוור, לאחר שהסבו את תשומת לבם לעובדה ש"רבים מבני העם היהודי הם בעלי מניות בכירים בחברה" (ששלטה במושבה).

במהלך עשר השנים הבאות לא גדלה הקהילה היהודית בהרבה. כמה מן המתיישבים המקוריים שבו לאמסטרדאם. את מקומם תפסו יהודים אחרים, שמוצאם מספרד או מפורטוגל. הללו היו עניים ברובם, דבר העולה מן המצבות הקטנות בחלקת הקבורה שהוקצתה להם ב־1656, כמו גם ממסמכי המושבה, בהם מתוארים היהודים כרוכלים, בעלי־מלאכה פשוטים וחייטים. ב־1664 כבשו האנגלים את ניו־אמסטרדאם וקראו לה ניו־יורק. מעטים ככל שהיו, נהנו היהודים כבר אז מזכויות שוות לאלה של שכניהם: הזכות לרכוש אדמה, לנוע בלא הגבלות, לעבוד את אלוהיהם ולשאת נשק — פרט לזכות להשתתף בבחירות. ב־1674 אושרו זכויות אלה מחדש, עת נצטווה המושל הבריטי על־ידי הממשלה בלונדון "...להרשות לכולם, תהא דתם אשר תהא, לשכון בשלום בגבולות המושבה, בלא להפריע להם או לגרום להם אי־שקט כלשהו." מכאן ואילך היו יהודים חופשיים להתיישב בניו־יורק, ללא התערבות השלטונות החילוניים והדתיים של המושבה.

"שארית ישראל", הקהילה היהודית הראשונה בצפון אמריקה, מציינת את 1654, השנה בה הגיעו ראשוני היהודים לניו־אמסטרדאם, כתאריך היסוד שלה. כעבור מאה ועשרים שנה, עת החלו המתיישבים האמריקאים במלחמתם באנגלים, כבר הוקמו קהילות נוספות — בסאבאנה, בצ'ארלסטון, בפילדלפיה ובניופורט. כיוון שבאותם ימים לא היתה בצפון אמריקה רבנות שתנהיג דפוסים אחידים, נהגה כל קהילה כטוב בעיניה. גם בתוך כל אחת מן הקהילות השונות, לא התפתח דפוס אחיד של מנהג דתי. מנואל ג'וזפסון, איש קהילת־ניו־יורק, כותב במכתב משנת 1789:

> באשר לקהילות הצפון־אמריקאיות שלנו... אין בהן מערכת מסודרת וקבועה, וזאת, לדעתי, בעיקר בגלל מימדיהן הקטנים והמעבר התכוף של חבריהן ממקום אחד למשנהו... כל חבר חדש המגיע מביא עמו נוהג משלו, בין אם יציר דמיונו ושגיונותיו הוא, ובין אם יציר המסורת של הקהילה שבה גדל, או זו שממנה בא.

ספרדים ואשכנזים

תופעה זו בלטה במיוחד עקב נוכחותם, אלה בצד אלה, של ספרדים ואשכנזים — על לשונותיהם ומסורותיהם השונות — בכל אחת מן המושבות האמריקאיות. האשכנזים של סאבאנה, למשל, שבאו מעיירות בגרמניה ופולין, נהגו "להקפיד על קוצו של יוד," בעוד הספרדים, צאצאי אנוסים מפורטוגל ומבראזיל, היו "חופשיים במנהגם, ופסחו על רבות מן המצוות," כולל מצוות אכילת בשר כשר.

בניו־יורק העסיקה קהילת "שארית ישראל" מלמדים דוברי ספרדית, שלימדו את ילדי שתי העדות על פי מנהג ספרד. הספרדים, שהיו משוכנעים כי תרבותם עולה על זו של האשכנזים, הרחיקו מעל עצמם את אלה מן המתיישבים האשכנזים החדשים שסירבו לקבל על עצמם את מנהג ספרד. אשכנזים אלה — מספרם הקטן לא איפשר להם להקים קהילה נפרדת — נאלצו לבחור בין שינוי מנהגם לבין הישארות מחוץ למחנה.

בהיעדר הנהגה רבנית נטה החינוך היהודי להיות שטחי למדי. קהילת "שארית ישראל" הקימה "בית מדרש לתלמידים" ב־1731, בצמוד לבית־הכנסת. לימים הוקמו מוסדות דומים גם בקהילות אחרות בצפון־אמריקה, אך עד לתחילת המאה ה־19 לא קיבלו תלמידים יהודים אלא ידיעות בסיסיות בלבד בשפה העברית. לימודי דת מתקדמים לא התאפשרו עד לתאריך מאוחר בהרבה. כיוון שהחינוך החילוני היה נתון לשליטתם של אנשי כמורה נוצרים, שביקשו לעשות נפשות לכנסיותיהם, עמדה בכל מהלך המאה ה־18 סכנה מתמדת של שמד מעל ראשי היהודים, שמספרם בכל צפון־אמריקה לא עלה על שלושת אלפים.

יהודים שומרי מסורת מצאו עצמם נאבקים במגמות ההתבוללות, כשהם רחוקים מן המרכזים הגדולים של יהדות הגולה, ומבלי שיוכלו לפנות לעזרת סמכות כלשהי מחוץ לקהילותיהם. ועדי בתי־הכנסת, שנקראו כמנהג הספרדים, אדחונטס, נזקקו למאמצים רבים כדי לשכנע יהודים לבוא לתפילות, לשמור את השבת ולאכול בשר כשר. מדי פעם איימו בהטלת חרם, או במניעת שירותי קבורה. ואולם בארץ בה חופש הדת כלל

למעלה: בית העיריה של ניו־אמסטרדאם. לשם נלקחו המתיישבים היהודים הראשונים בעקבות תביעה שהוגשה נגדם לתשלום עבור מסעם לניו־אמסטרדאם ב־1654.
למטה: טיוטת נאום בעברית שכתב גרשום מנדס סייקס עבור סמפסון סימסון, בוגר קולומביה קולג', לטקס קבלת התואר, ניו־יורק, 1800.

Above: The Town Hall of New Amsterdam. The first Jewish settlers were taken there due to a suit brought against them for payment of their passage to New Amsterdam, 1654.
Below: Draft by Gershom Mendes Seixas for a Hebrew speech to be delivered by Sampson Simson at the commencement exercises of Columbia College, New York, 1800.
(Courtesy of the American Jewish Historical Society, Waltham, Mass.)

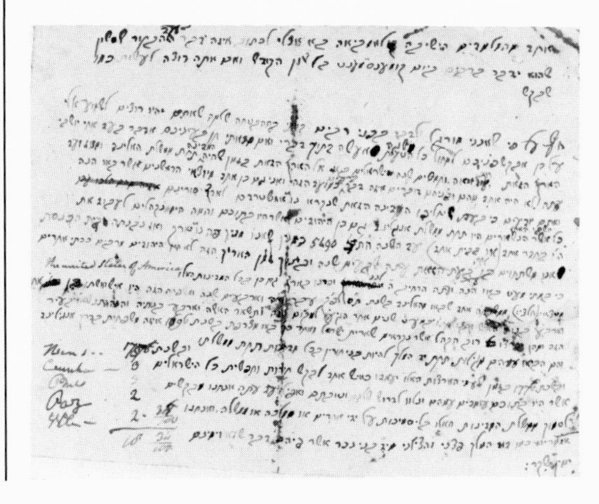

בעקבות קולומבוס

יהודים באמריקה, 1880-1654

ד״ר קנת ליבו

אמריקה מהווה פרק חדש בתולדות הגולה. במהלך הדורות חיו היהודים כעם מפוזר ברחבי תבל, עקורים מארצם, מבודלים על־פי חוק ונוהג, נסבלים במקום אחד ומבוזים במשנהו. היה עליהם ללמוד לשרוד כעם חסר ארץ, עם נודדים מובדל מן העמים הסובבים, ״עם מיוחד״ השואב את כוחותיו הנפשיים מן התקווה שביום מן הימים יוכל לשוב למולדתו.

אמריקה הציבה כיוון שונה. כארץ חדשה שנאבקה להשתחרר מעיוותי המשטר הישן באירופה, הציעה אמריקה לבני אירופה שבאו בשעריה, תהא דתם אשר תהא, לא רק מקום מקלט אלא גם זכויות שוות. קווייקרים, קתולים, פרסביטריאנים, אנאבאפטיסטים, הוגנוטים, בני הכנסיה הרפורמית ההולנדית והגרמנית, פוריטאנים — כל אלה למדו, עם הזמן, לראות זה את זה כאזרחים-אחים שהקשרים ביניהם חזקים דיים כדי להתגבר על חילוקי־הדעות הרעיוניים. כאן מצאו גם היהודים, סוף סוף, מקום בטוח לחיות בו, בידיעה כי הם בעלי זכויות לחיים, לחופש ולאושר — זכויות שאין להפקיען.

קהילות ראשונות

לא כך היו פני הדברים לגבי היהודים הראשונים שהגיעו לאמריקה — קבוצה בת עשרים ושלושה איש, אשה וילד שביקשה לה ב־1654 מקלט בתחנת הסחר של החברה ההולנדית להודו המערבית בניו־אמסטרדאם. היו אלה צאצאים של מגורשי ספרד, שהתיישבו בהולנד בעשור האחרון של המאה ה־16, זמן קצר לאחר שהשתחררה הולנד משלטון ספרד. יהודי אמסטרדאם, שעסקו במסחר בינלאומי, ייבאו ושיווקו מגידוליו של העולם החדש — סוכר, טבק, כותנה ואינדיגו.

לאחר שהשתלטו ההולנדים על בראזיל הפורטוגזית, ב־1630, נטלו יהודי אמסטרדאם חלק בהקמתה של קהילה יהודית תוססת בעיר הנמל רסיפה. ואולם, ב־1654 כבשו הפורטוגזים מחדש את בראזיל. יהודי רסיפה, שחששו מידה הארוכה של האינקוויזיציה הפורטוגזית, ביקשו מקום יישוב בטוח יותר לעצמם. כמה מהם שבו להולנד; אחרים העדיפו להישאר בעולם החדש.

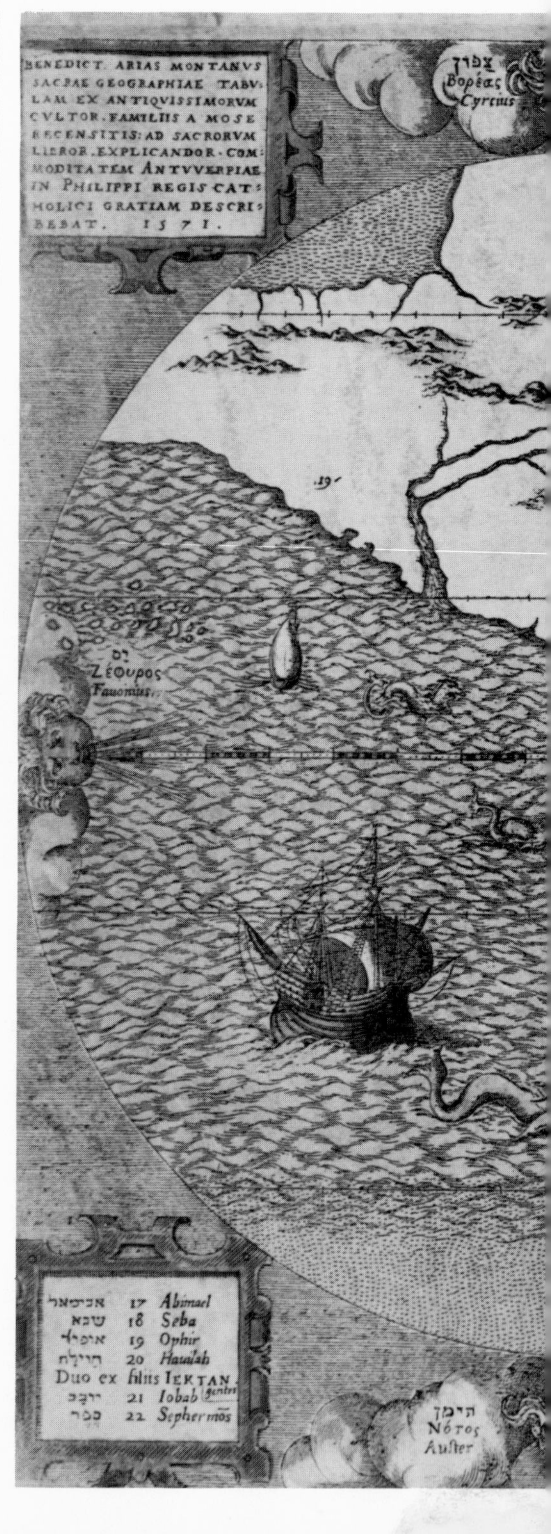

מפת העולם.
תחריט צבעוני מאת אריאס מונטאנוס, אנטוורפן, 1571.

Map of the world.
Color engraving by Arias Montanus, Antwerp, 1571.
(Courtesy of Terra Sancta Arts Ltd., Tel Aviv)

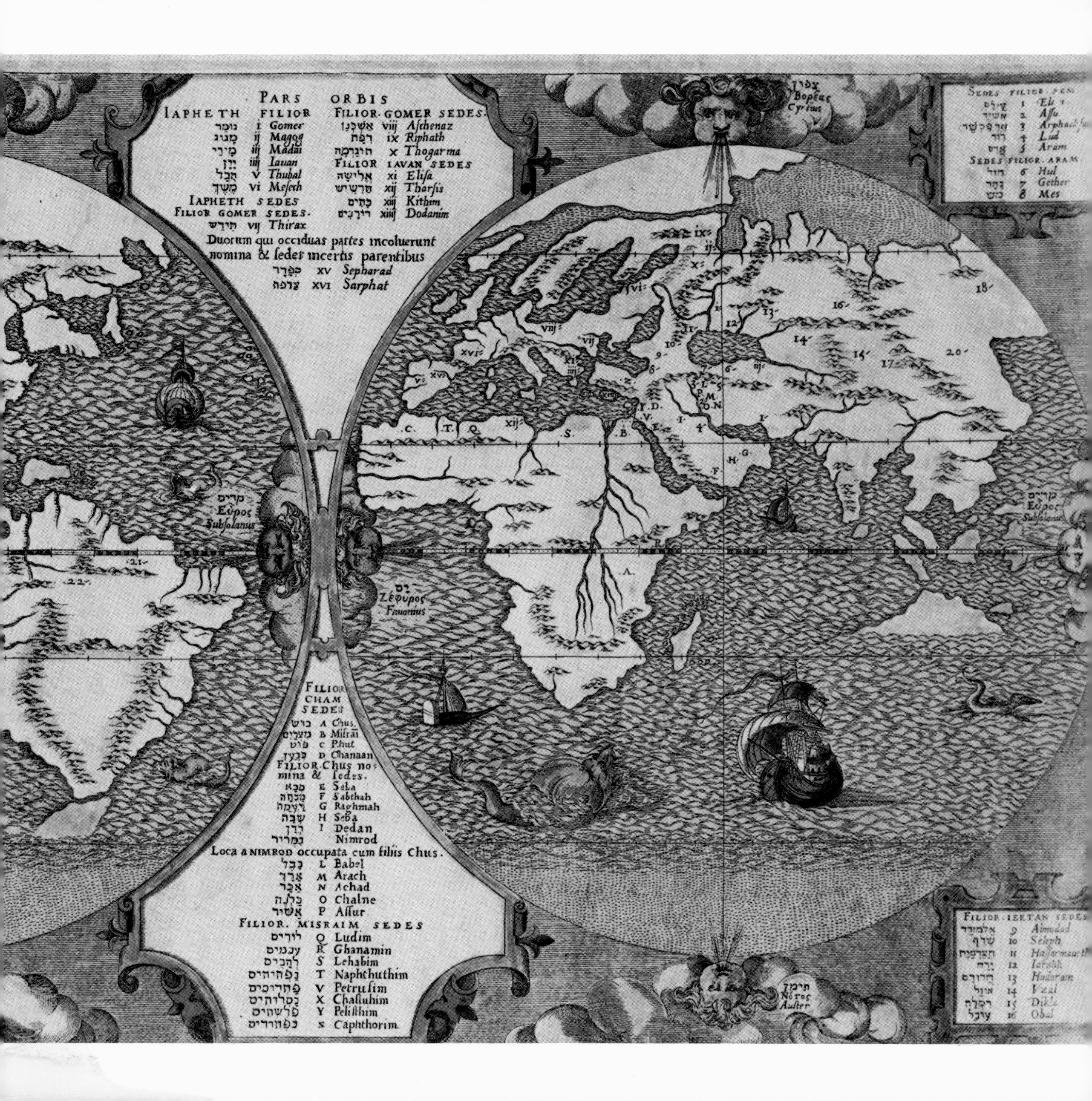
PARS ORBIS
IAPHETH FILIOR FILIOR. GOMER SEDES.
i Gomer viij Aschenaz
ij Magog ix Riphath
iij Madai x Thogarma
iiij Iauan FILIOR IAUAN SEDES
v Thubal xi Elisa
vi Mesech xij Tharsis
IAPHETH SEDES xiij Kithim
FILIOR GOMER SEDES. xiiij Dodanim
vij Thirax
Duorum qui occiduas partes incoluerunt
nomina & sedes incertis parentibus
xv Sepharad
xvi Sarphat
Βορέας
Cyrius
SEDES FILIOR. SEM
1 Elā
2 Assu
3 Arphacsad
4 Lud
5 Aram
SEDES FILIOR. ARAM
6 Hul
7 Gether
8 Mes
Εὖρος
Subsolanus
Ζέφυρος
Fauonius
FILIOR CHAM SEDES
A Chus
B Misraī
C Phut
D Chanaan
FILIOR Chus nomina & sedes.
E Seba
F Sabthah
G Raghmah
H Seba
I Dedan
Nimrod
Loca a NIMROD occupata cum filiis Chus.
L Babel
M Arach
N Achad
O Chalne
P Assur
FILIOR. MISRAIM SEDES
Q Ludim
R Ghanamin
S Lehabim
T Naphthuthim
V Petrusim
X Chasluhim
Y Pelisthim
Z Caphthorim
FILIOR. IEKTAN SEDES
9 Almodad
10 Seleph
12 Iarahh
13 Hadoram
14 Vzal
16 Obal
Νότος
Auster

על התערוכה

התערוכה ״בעקבות קולומבוס״ מתעדת את מפעלם של יהודים ספרדים וגרמנים שבאו לאמריקה עד 1881 — השנה שבה החלה ההגירה הגדולה של יהודי מזרח אירופה.

סיפורנו מתחיל בשנות החמישים של המאה השבע־עשרה, עת היווה חופה המזרחי של צפון אמריקה את גבולו המערבי של העולם האירופי, והוא נמשך במהפכה התעשייתית, במלחמת האזרחים ובכיבוש המערב הפרוע, כמאתיים שנה אחר כך.

אין זה מסע רגשני אל נבכי העבר. אנו מציגים כאן דימויים וחפצים הממחישים את רקמת־חייהם של אנשים אשר — בנוסף על השתתפותם בכינונה של ציוויליזאציה חדשה — עיצבו לעצמם חיי קהילה יהודיים חדשים, לעתים בתוך תוכה של ארץ־לא־נושבת.

ראשוני המהגרים ייסדו קהילות לחוף האוקיינוס האטלנטי. להתיישבות זו נודעה משמעות רבה כראש־חץ כלכלי המופנה אל עבר איזורי הספר שבמערב, אשר הלכו והתפשטו במהירות.

מהגרים שהגיעו מאוחר יותר, במאה התשע־עשרה, מארצות דוברות־גרמנית, התיישבו בצפון ואף הרחיקו עד לחוף המערבי. בכל מקום בו התיישבו, הפכו לחלק בלתי־נפרד מן ההוויה האמריקאית המקומית. הם הקימו מרכזי תעשייה, מסחר ובנקאות, סביבם צמחו קהילות יהודיות תוססות.

יהודים אלה הם שייסדו את תנועת הרפורמה ביהדות, את ארגון ״בני־ברית״, ואת ארגוני הצדקה הרבים שסייעו לאחר זמן בקליטתם של יהודי מזרח־אירופה. יהודים אלה לא ראו עוד את החיים בגולה כגזרה, אלא כברכה: בעיניהם היתה אמריקה הארץ המובטחת.

במהלך הכנתה של תערוכה זו, ביקרנו בספריות, ארכיונים, בתי כנסת ובתים פרטיים רבים, וכן נועצנו בחוקרים, רבנים ומנהיגים רבים, שהקדישו לנו מזמנם ומידיעותיהם ברוחב־לב. בית התפוצות חפץ להודות במיוחד לד״ר נתן קגנוף ולברנרד ווקס מן החברה ההיסטורית היהודית אמריקאית בוולתאם, מאסצ׳וסטס, שבלעדי שיתוף־הפעולה שלהם לא היתה תערוכה זו מתאפשרת כלל. תודה מיוחדת נתונה גם לד״ר ג׳ייקוב ריידר מרקוס, לד״ר אברהם פק ולפאני זלצר מן הארכיון היהודי אמריקאי בסינסינטי; לג׳ואן רוזנבאום ולנורמן קליבלאט מן המוזיאון היהודי בניו־יורק; לאליס גרינואלד מן המוזיאון הלאומי להיסטוריה יהודית אמריקאית בפילדלפיה; לרות קלסון־רפאל מן המרכז לתולדות יהודי המערב בברקלי, קליפורניה; לאוולין כהן מן הסמינר התיאולוגי היהודי בניו־יורק; לג׳וזף טאריקה ולויקטור טארי מקהילת ״שארית ישראל״ בניו־יורק; לסיסי גרוסמן מבית הכנסת המרכזי של ניו־יורק; לריבה קירשברג מקהילת ״עמנואל״ בניו־יורק; לרבי ג׳ושוע טולדאנו, ללברון שומאן ולפלורנס פינקל מקהילת ״מקוה ישראל״ בפילדלפיה; לרבי ויליאם א. רוזנטאל מקהילת ״בית אלוהים״ בצ׳ארלסטון; לרבי סול רובין מקהילת ״מקוה ישראל״ בסאבאנה, ג׳ורג׳יה; למקסוול וייטמן מאלקינס פארק, פנסילבניה; לג׳אניס רוטשילד בלומברג מן העיר וושינגטון; למר ולגברת ב.ה. לוי מסאבאנה, ג׳ורג׳יה; לאנט לוי מן הפדרציה היהודית של נאשוויל ומרכז טנסי; ללילי שווארץ מן המרכז הארכיוני היהודי של פילדלפיה במכון בולץ׳; לרות הנדריקס שולסון; לאברהם מיניס מסאבאנה, ג׳ורג׳יה; לרבי מלקולם שטרן מניו־יורק; ולרבי אברהם קארפ מרוצ׳סטר, ניו־יורק.

ד״ר קנת ליבו, ניו־יורק
ליאורה קרויאנקר

אוצרים

התערוכה "בעקבות קולומבוס" היא פרי מחקר שנוהל בארצות־הברית במשך יותר משנתיים, על ידי ד"ר קנת ליבו, ושבמהלכו נאספו אלפי פריטים. מתוך אלה, נכללו בתערוכה כ־350 תצלומים, חפצים, מסמכים וציורים, בחלקם מקוריים, המוצגים בשלושה פרקים: "דורות ראשונים, 1830-1654", "המהגרים מגרמניה, 1880-1830" ו"חיי הקהילה".

הנהלת בית התפוצות מודה לאוצרי התערוכה, ד"ר קנת ליבו וגב' ליאורה קרויאנקר, ולכל העובדים, שלולא מסירותם הרבה לא היתה תערוכה זו יוצאת לפועל.

תודה מיוחדת נתונה לגב' גלוריה בלוך־גולן מאגודת ידידי בית התפוצות בארצות־הברית; כמו כן נתונה תודתנו לקרן נורמן ורוסיטה וינסטון, ניו־יורק, לקרן קורט, סן פראנסיסקו, לקרן משפחת צ'ארלס א. סמית, וושינגטון, לקרן "גראנד סטריט בויס", ניו־יורק, ולקרן לוסיוס נ. ליטאואר, ניו־יורק, על תמיכתם הנדיבה בתערוכה.

בעקבות קולומבוס

יהודים באמריקה, 1880-1654

בית התפוצות על שם נחום גולדמן, תל־אביב, חורף תשמ״ז

בעקבות קולומבוס

יהודים באמריקה, 1880-1654